Auftakt 4

Get ahead in German

Perspektiven

Britta Giersche and Susan Tebbutt

Wendepunkte

Christiane Hermann and Corinna Schicker

Hodder & Stoughton
A MEMBER OF THE HODDER HEADLINE GROUP

Writers

Britta Giersche is a freelance educational author
Dr. Susan Tebbutt is Lecturer in German at the University of Bradford
Christiane Hermann is Senior Lecturer in the Business School of Buckinghamshire College, a college of Brunel University
Corinna Schicker is a freelance educational author

Language and German Studies Consultant

Ragnhild Gladwell, Goethe Institut, London

Open University

Book Co-ordinator, Uwe Baumann
Academic Editor, Monica Shelley
Programme Chair, Lore Arthur

Acknowledgements

The course team would like to thank the following: Stephen Hagen, Course Chair 1994–1995, who was responsible for the initiation and early development of *Auftakt*, and Eva Kolinsky, Professor of Modern German Studies, Keele University for her support in the development of the course. Our thanks also to Margaret Winck of Tübingen and Christoph Sorger of Leipzig for help and support in the preparation of the audio-visual material and for all the information and contacts which they provided. Thanks, too, to all the people of Tübingen and Leipzig who took part in the filming and recording in this course.

This book is part of the Open University course L130 *Auftakt*. If you would like more information about the course, or details of how to enrol, please write or call The Courses Reservation and Sales Office, PO Box 724, Walton Hall, Milton Keynes, MK7 6ZS. Tel: 01908 653231.

A catalogue record for this title is available from the British Library

ISBN 0 340 67332 X

First published 1997

Year 2001 2000 1999 1998 1997

Typeset and designed by David La Grange.

Printed in Great Britain for Hodder & Stoughton Educational, a division of Hodder Headline Plc, 338 Euston Road, London NW1 3BH and for The Open University by Butler and Tanner, Frome, Somerset.

Contents

Acknowledgments

Cover illustration by Volker Sträter. Illustrations by David Hancock and Jane Smith.

The authors and publishers would like to thank the following people for their permission to use copyright material:

p4: Lägerdorfer Wählergemeinschaft; p12: 'Moment mal', Gewerkschaft Öffentliche Dienste Transport und Verkehr (ötv); p14: 'Das Fahren in Frankfurts S-Bahnen …' from *Frankfurter Neue Presse* 15/9/93; p17: 'Was Sie denken' from *City Biking 1995* (ADFC-Umfrage), Radfahren in Hildesheim; p18: 'Ohne Auto? Nein danke!' from *Journal für Deutschland* 94/95; p31: 'Das kennen Sie von Ihren Einkäufen …', Die Grünen; p33: 'Entsorgung von Hausmüll' diagram from *Abfallwirtschaft in Niedersachsen*, Niedersächsisches Umweltministerium; p37: 'Regionalgemeinschaft Naturkost Bonn e.V.' from *Wir geben Ökologie eine Chance*, Regionalgemeinschaft Naturkost, Bonn; p38: 'Umweltzeichen', Umweltbundesamt, Berlin; p46: *Mit dem Herzen denken* by Petra K. Kelly, Beck'sche Reihe Nr. 397, C. H. Beck'sche Verlagsbuchhandlung, Munich; pp48 and 56: 'Straßenleben' from *motz* 17/5/95; p51: 'Kampf den Stinkern' from *Tierfreund* Magazin; p57: Bündnis 90/Die Grünen; p58: 'Gedeckter Tisch für Arme' by Michael Netzhammer from *Schleswig Holstein Magazin* 12/94; p65: 'Wer war nun Joseph Beuys …' by M. Schreiber and W. Krüger from *Kölner Stadtanzeiger* 10/70; p69: 'Wo Sie am besten leben' and p70 'Die Auswertung' from *Focus* 40/95; p95: 'Von der Wiege bis zur Bahre' extracts from *Notizen aus der DDR* by Hendrik Sussik © Fischer Taschenbuch Verlag GmbH, Frankfurt am Main 1979; p108: 'Go East' by Sibylle Deutsch from *Maxi* 10/95, by permission of the author; p110: 'Go West …' by Ulrike Hinrichs from *Süddeutsche Zeitung* 24/1/96; p129: extract from *Pünktchen und Anton* by Erich Kästner, Atrium Verlag AG; p135: Pressestelle, Deutscher Bundestag; p138: 'In Hülle und Fülle' from *Stern* 27/95.

The authors and publishers would like to thank the following people for permission to reproduce their photographs:

p27: Arbeitsgemeinschaft Duales System; p46: Petra Kelly and p65: Joseph Beuys © Ihrt/Stern, SOA; p50: tram © Zefa and bus © Greg Balfour Evans; p84: Aufstand 1953 © Schirner/INTERFOTO; Berlin Wall and guard outside monument to victims of Fascism, Emma Rees; barbed wire on Berlin Wall © INTERFOTO; p96: Heinzel/Interfoto; p98: Pony + halber Trabi, © Schöppe/Voller Ernst, SOA and langer Trabbi © Kliche/Voller Ernst, SOA; p128: Weidendammer Brücke © SOA; p130: Picknick im Tierpark © Hekelmann/Voller Ernst, SOA; Das alte Schloß mock-up © SOA; Verhüllter Reichstag, 1971-95 by Christo and Jeanne-Claude © Christo, photo: Wolfgang Volz; Polizeibewachung für jüdische Synagoge © Frank Wache/GARP, SOA; p139: Das Berliner Schloß © Voller Ernst/SOA; Der Palast der Republik, Emma Rees; p148: Potsdamer Platz, 1990s © Jan Bauer/Joker, SOA; p150: Der Potsdamer Platz, early 1900s © Voller Ernst/SOA. All other photos are stills from the *Auftakt* video.

Every effort has been made to trace and acknowledge ownership of copyright. The publishers will be glad to make suitable arrangements with copyright holders whom it has not been possible to contact.

Introduction

What is *Auftakt*?

Auftakt is a German course for individual adult learners studying on their own without the support of a classroom teacher, but is also suitable for use in adult education classes. It aims to help you, the learner, develop confidence in speaking, listening, reading and writing German, so that you will be able to communicate effectively and accurately in German. When you have worked through all four books you should have achieved a language level equivalent to just below A level standard.

How much German am I expected to know?

At the beginning of the course it is assumed that you will have an elementary knowledge of German. This means that you should be able to get by when visiting a German-speaking country and understand simple German speech in everyday contexts. You should have achieved the approximate level of GCSE or the equivalent of a rusty O level, either through formal classroom teaching or through regular contact with native speakers of German.

What does *Auftakt* consist of?

Course books

Auftakt consists of four graded books, *Auftakt 1*, *2*, *3* and *4*. The books are carefully structured to assist the learning process and can either be used separately or studied in sequence. They are divided into two sections, each with a distinct theme (*Thema*), and each *Thema* consists of four parts (*Teile*). The *Themen* are numbered sequentially through the course. The first three *Teile* introduce and practise new topics, language structures and grammar items, while the fourth provides revision and consolidation. Each *Teil* is further divided into three units, with one unit (*Lerneinheit*) representing roughly two hours of study.

Clear introductions, study charts and precise instructions will guide you through each part and activity of the course. In *Auftakt 1* and *2* these instructions are in English, but in *Auftakt 3* and *4* most of them are in German. In addition, there are study tips (*Lerntips*) to help you learn the language more effectively, and cultural background notes (*Wissen Sie das?*).

You will find a *Checkliste* at the end of *Teile 1–3*, which summarises the key learning points. Answers for each activity are provided at the end of the book in the *Lösungen* section. Both the *Lösungen* and *Checkliste* are designed to help you assess your progress through the book or throughout the course.

Audio-visual material

A 30-minute **video** accompanies each book. Filmed in two German towns – Leipzig, an industrial city in the east, and Tübingen, a smaller university town in the south – the video features a wide variety of German people talking about their ways of life, their work, their interests, their hopes for the future. Occasionally, where the language may be slightly difficult, German subtitles have been added. All video sections are clearly numbered for ease of use.

Two **audio cassettes** accompany each book. Cassette One opens with an episode of the drama (*Hörspiel*), which runs throughout the course. This is followed by a documentary feature (*Hörbericht*) linked to the main theme of each *Thema*. Both the drama and feature sections are followed by simple fluency and pronunciation activities and can be used independently of the course book. Cassette Two (*Übungskassette*) consists of numerous speaking and listening exercises, which are closely integrated into the main course-book activities.

Transcript booklets

There is a separate transcript booklet, containing transcripts of both the video and audio cassettes which accompany each book. The language is transcribed as it is actually spoken, that is with hesitations, incomplete utterances, repetitions and, occasionally, incorrect German.

Additional resources

To study *Auftakt* you will need a grammar book and dictionary. The writers of this course have referred to *The Oxford German Grammar* by William Rowlinson (available in paperback and mini-reference form) and the new *Langenscheidt Standard German Dictionary*. Furthermore, you will find the Open University's *The Language Learner's Good Study Guide* full of useful advice on all aspects of language learning.

German spelling

The German federal states have agreed to introduce changes in the spelling of some German words from 1 August 1998. The reform, which aims to simplify German spelling, is based on recommendations of a commission set up in 1988 by the Austrian government. The commission consisted of experts from Germany, Belgium, Denmark, Italy, Liechtenstein, Luxembourg, Austria, Romania, Switzerland and Hungary. New rules for spelling will be taught in German schools and introduced in all official documents, in the media, commerce and other institutions. It is expected that the process of change will be completed by 1 August 2005. These rules have not been applied in this book.

Viel Spaß und Erfolg beim Deutschlernen!

DÄNEMARK
OSTSEE
Nordfriesische Inseln
Husum
NORDSEE
Kiel
Schleswig-
Holstein
Rostock
Ostfriesische Inseln
Lübeck
Mecklenburg-
Vorpommern
Norden
Bremerhaven
Hamburg
Bremen
Ems
POLEN
Niedersachsen
Amsterdam
Berlin
Hannover
NIEDERLANDE
Brandenburg
Salzgitter
Magdeburg
Nordrhein-
Westfalen
Elbe
Sachsen-
Anhalt
Duisburg
Dortmund
Essen
BUNDESREPUBLIK
DEUTSCHLAND
Düsseldorf
Wuppertal
Leipzig
Sachsen
Köln
Rhein
Erfurt
Maastricht
Bonn
Dresden
Thüringen
BELGIEN
Hessen
Koblenz
Frankfurt
Prag
Rheinland-
Pfalz
Mainz
Main
LUXEMBURG
TSCHECHISCHE
REPUBLIK
Luxemburg
Saarland
Nürnberg
Mannheim
Mosel
Saarbrücken
Bayern
Regensburg
Stuttgart
Ingolstadt
Nancy
Donau
Straßburg
Tübingen
Ulm
Baden-
Württemberg
Linz
FRANKREICH
München
ÖSTERREICH
Freiburg
Mülhausen
Schaffhausen
Salzburg
Basel
Zürich
km
SCHWEIZ
LIECHTENSTEIN
Innsbruck
0
150
Vaduz
Bern

Thema 7

Perspektiven

In *Thema 7* you will look at how the individual and the community interact. In *Teil 1*, *Verkehrsprobleme*, you will learn something about the basic structures and responsibilities of local government in Germany, and then look at transport issues from various angles. In *Teil 2*, *Öko-Aktionen*, you will look at green issues such as recycling and waste disposal, shopping for ecologically sound products and organic farming. You will also learn about one of the founders of the Green Party in Germany, Petra Kelly. In *Teil 3*, *Lebensqualität*, you will look at housing problems and how people take stock of their lives. You will also find out about the artist Joseph Beuys, who campaigned with Petra Kelly on environmental issues. *Teil 4* is devoted to revision, as usual.

The video for *Teil 1* focuses on the environmental issues facing the council and citizens of Tübingen. As well as looking at how the environment is affected by traffic policies, town planning and waste disposal measures, you will find out how these changes are viewed by members of the public.

In the episode of the audio drama, *Begegnung in Leipzig*, Thomas takes Bettina flowers and discovers that Sonja has been scheming behind his back.

By the end of *Thema 7*, you should be able to understand Germans discussing transport issues, environmental problems and day-to-day life in the community. You should be able to read and understand short articles and statistical information about these issues and write down your views in German. You should also be able to take part in written and oral interviews, including being able to understand and devise questions about environmental matters.

Teil 1

Verkehrsprobleme

Teil 1 begins with a brief overview of local government seen from the perspective of Tübingen. You will then look in more detail at the particular problems associated with public and private transport, concentrating mainly on how the city of Tübingen is trying to deal with these problems.

In *Lerneinheit 1, Die Rolle der Stadt,* you will take a general look at some aspects of local politics. *Lerneinheit 2, Mit Bus und Bahn,* focuses on public transport issues. Finally, in *Lerneinheit 3, Auto? Nein, danke!,* you can read about some alternatives to the one-person-one-car option of transport.

By the end of *Teil 1,* you should be able to read and understand short articles about local government and transport issues. You will have had the opportunity to express your opinion on transport issues, both orally and in writing, and to make comparisons, practising the correct formation of subordinate clauses as you do so.

Lerneinheit 1 Die Rolle der Stadt

In *Lerneinheit 1* you will meet some local politicians from Tübingen who talk about their work. You will also read about traffic problems.

The first topic is *Local politics*. You will be introduced to the second topic, *Tübingen and its particular problems*, by Gabriele Steffen, the *Erste Bürgermeisterin*, who describes how she came to be appointed and what kind of work she does. The final topic is *Considering solutions to transport problems*.

By the end of *Lerneinheit 1*, you will have learned something about the way in which local government works in Germany and practised summing up different arguments, as well as using *werden*.

STUDY CHART

Topic	Activity and resource	Key points
Local politics	**1 Text**	learning about the role of local government in Germany
	2 Text	practising using *angehen*
Tübingen and its particular problems	**3 Text**	preparing to watch the video about local government
	4 Video	checking you've understood the video
	5 Video	completing sentences summarising the video
	6 Video	identifying who said what in the video
	7 Text	practising different meanings of *werden*
Considering solutions to transport problems	**8 Text**	choosing the correct responses for a dialogue about the pros and cons of car use
	9 *Übungskassette*	reporting the dialogue about car use
	10 Text	writing about the advantages of car use

Local politics is not only the business of politicians, but should be something which concerns every citizen. The advertisement overleaf appeared in a local German newspaper. It is addressed to the people who live in Lägerdorf, a small town in the north of Germany.

Lesen Sie die Anzeige und kreuzen Sie an.

> ***Lägerdorfer Wählergemeinschaft***
>
> Kommunalpolitik geht jeden an!
>
> Wenn Sie sich auch aktiv beteiligen wollen, sind wir Ihr Ansprechpartner.
>
> Nähere Informationen bei: Friedrich Otte
> Eilenweg 12
> 25566 Lägerdorf
> 0 48 01 12 459

This advertisement is

1 encouraging people to use their vote. ❑
2 encouraging people to become involved in local politics. ❑
3 encouraging people to join a political party. ❑

2

In the advertisement above, you will have noticed the use of the separable verb *angehen*, followed by the accusative. In conversations you will often hear *das geht Sie etwas an* (that concerns you). You may also hear *das geht Sie nichts an* (that's none of your business). In this activity you have to write down what does or does not concern people. The first one has been done for you.

die Umweltbeauftragte *official with environmental responsibility*

Schreiben Sie die Antworten.

1 Was geht die Bürgermeisterin etwas an? (die Kommunalpolitik)
  Die Kommunalpolitik geht sie etwas an.
2 Was geht Herrn Feldtkeller etwas an? (die Stadtplanung)
3 Was geht die Bürgermeisterin nichts an? (mein Privatleben)
4 Was geht die Umweltbeauftragte etwas an? (der Umweltschutz)
5 Was geht die Umweltbeauftragte nichts an? (die Bierpreise in der Kneipe)
6 Was geht den Stadtplaner etwas an? (der Bau neuer Wohnviertel)

In der Stadt wählen die Bürger einen Stadtrat (*town council*), auf dem Land leben die Leute in sogenannten Gemeinden (*parishes*), und die Leute wählen den Gemeinderat (*parish council*). Der Bürgermeister (*mayor*) arbeitet vom Rathaus (*town hall*) aus, das häufig im Zentrum der Gemeinde liegt.

Die Gemeinde ist für viele Aufgaben, z.B. Müll, lokalen Verkehr und soziale Fürsorge (*social services*) zuständig.

In jeder Gemeinde gibt es Politiker/innen und Beamte/Beamtinnen, die für die Verwaltung (*administration*) zuständig sind.

Frau Steffen in Tübingen ist die Erste Bürgermeisterin. Sie arbeitet in der Verwaltung und ist Beamtin. Sie ist für viele verschiedene Bereiche verantwortlich, wie z.B. Schule und Sport, Kultur und Soziales. Ihr Chef, der Oberbürgermeister, ist ein Politiker; er wird von der Bevölkerung direkt gewählt.

Weil Deutschland ein föderales System hat, ist diese Struktur von Bundesland zu Bundesland verschieden.

3

Before you watch the video, read through the seven areas of responsibility listed below.

Was denken Sie? Womit hat Frau Steffen, die Erste Bürgermeisterin, beruflich zu tun? Bitte kreuzen Sie an!

1 Finanzen der Stadt ❑
2 neue Arbeitsplätze schaffen ❑
3 Schulen und Sport in Tübingen ❑
4 Fahrkarten kontrollieren ❑
5 Krankenscheine ausfüllen ❑
6 Stadtteile umbauen ❑
7 Wohnungen renovieren ❑

4

00:00–01:58

Now watch the first part of the video for *Thema 7*. Gabriele Steffen is talking about her work in Tübingen as *Erste Bürgermeisterin*. Check that you are familiar with the words in the *Wortschatz* overleaf before you watch.

Bitte kreuzen Sie an.

1 Who elects Frau Steffen?
  a the local council ❑
  b the federal government ❑

2 How long is she elected for?
  a two years ❑
  b eight years ❑

der Stellvertreter (-) *deputy*

sich um etwas drehen *to revolve around something*

das Gewerbe (-) *industry*

die Steuer (-n) *tax*

die Einnahmequelle (-n) *source of income*

die Zuweisung (-en) *grant allocation*

auftauchen *to arise*

vorbehalten *confined*

hoheitliche Aufgaben *official government responsibilities*

kuschelig *cosy, snug*

heimelig *homely, cosy*

3 What is the main problem facing Tübingen?
- **a** vandalism ❑
- **b** lack of finance ❑

4 Where does Tübingen's money mainly come from?
- **a** regional grants ❑
- **b** private investors ❑

5 Who do most people in Tübingen think should solve problems?
- **a** the city council ❑
- **b** the people themselves ❑

6 According to Frau Steffen, what type of service cannot be run by the inhabitants themselves?
- **a** bus services ❑
- **b** police ❑

Gabriele Steffen hat Sprach- und Sozialwissenschaften studiert. Sie wohnt seit mehr als zwanzig Jahren in Tübingen. Seit 1990 ist sie als Erste Bürgermeisterin in Tübingen tätig. In ihrer Freizeit liest sie gern, hört und macht Musik. Ein weiteres Hobby von ihr ist das Reisen.

Dr. Wilfried Setzler ist Leiter des Kulturamts der Stadt Tübingen. Die Setzlers wohnen in einem Einfamilienhaus in der Stadtmitte. Sie haben drei Kinder.

Andreas Feldtkeller hat Architektur in Stuttgart und Berlin studiert. Er ist seit 1972 Leiter des Stadtsanierungsamts der Stadt Tübingen.

01:59–04:38

Now watch the next part of the video, where the problems facing Tübingen are discussed.

Kreuzen Sie die richtige Lösung an.

vernünftig
sensible; here: pleasant

zurückerobern
to reclaim, take back

1 Das Wichtigste für einen Stadtplaner ist,
- a Ideen zu entwickeln, wie eine vernünftige Stadt aussieht. ❑
- b daß eine Stadt funktioniert. ❑

2 Das Kasernengelände wurde in der Nachkriegszeit
- a für die Franzosen gebaut. ❑
- b von der Bevölkerung gar nicht betreten. ❑

3 In dem neuen Stadtteil will man
- a Wohnen und Gewerbe wieder zusammenbringen. ❑
- b mehr Straßen bauen. ❑

4 In dem neuen Stadtteil
- a wird es etwa sechstausend neue Arbeitsplätze geben. ❑
- b werden neue Einwohner dazukommen. ❑

5 Dr. Setzler denkt, daß
- a Tübingen ein Museum ist. ❑
- b Tübingen keine Insel ist. ❑

01:59–04:38

Watch the video again and write down which person makes each of the statements below.

Wer sagt was?

1 Die Stadt muß vor allem Ideen entwickeln.
2 Wir planen hier den Umbau eines ganzen Stadtquartiers.
3 Das Gelände wurde in der Nachkriegszeit praktisch von der Bevölkerung gar nicht betreten.
4 Wir wollen hier einen neuen Stadtteil aufbauen, in dem gewohnt und gearbeitet wird.
5 Wir wollen auch die Straße wieder für die Bewohner zurückerobern.
6 Es werden sechstausend neue Einwohnerinnen und Einwohner hier angesiedelt werden.
7 Tübingen ist keine Insel, sondern Tübingen steckt mittendrin.

In the section of the video you have just seen you heard about some of the problems and challenges Tübingen is facing, and what plans for the future of the city are being developed. In this activity you will practise using *werden* to form the future tense and in examples where it means ‘to become’.

Bitte schreiben Sie in die Lücken.

1 Die finanzielle Situation der Stadt ____________ sich auch in Zukunft nicht verbessern.

2 Man ____________ das ehemalige Kasernengelände zu einem neuen Wohn- und Gewerbegebiet umbauen.

3 In dem neuen Stadtquartier ____________ etwa sechstausend neue Einwohner und Einwohnerinnen leben.

4 Es ____________ etwa 2 000–2 500 neue Arbeitsplätze entstehen.

5 Es ____________ auch neue Einwohner dazukommen.

6 Tübingen ____________ zu schön und zu kitschig.

7 Die Stadt ____________ zu sehr Museum.

8

Although traffic is an ever-increasing problem in Germany, many people still like to use cars and sometimes have good reasons for doing so.

This activity is based on a debate between a dedicated car user, Herr Armsen, and Frau Klemke, who is less keen on cars.

Read through Herr Armsen's arguments and then choose the most suitable of Frau Klemke's counter-arguments on page 9 for each one.

Lesen Sie und schreiben Sie bitte.

Herr Armsen — Autos haben viele Vorteile. Ich kann meine Tochter abends mit dem Auto von der Disko abholen. Das ist sicherer als mit dem Bus zu fahren.

Frau Klemke — …

Herr Armsen — Ja, gut. Aber ich benötige mein Auto für den Großeinkauf, z.B. wenn ich zwei Kisten Bier kaufe. Das ist auch billiger.

Frau Klemke — …

Herr Armsen — Aber Autofahren spart Zeit. Ich komme schneller von zu Hause ins Büro.

Frau Klemke — …

Herr Armsen — Und bei schlechtem Wetter muß ich nie im Regen stehen und auf den Bus warten, sondern sitze in meinem bequemen Auto.

Frau Klemke — …

Herr Armsen — Das ist richtig, aber ich fahre trotzdem gern Auto.

Frau Klemke — …

Frau Klemke's counter-arguments

1. Das stimmt. Aber hier in der Stadt fahren die Busse so häufig, daß man nie länger als fünf Minuten warten muß. Und außerdem gibt es in der Stadt doch sowieso keine freien Parkplätze.
2. So ein Unsinn. Was Sie am Bier sparen, geben Sie an Benzin aus, um zum Supermarkt vor der Stadt zu fahren.
3. Na, das glaube ich aber nicht. Morgens sind doch alle Straßen verstopft, und man steht im Stau. Wenn Sie mit dem Bus oder der Straßenbahn fahren, können Sie in der Zeit die Zeitung lesen.
4. Ja, aber dafür braucht man doch kein Auto. Ihre Tochter kann doch mit dem Taxi fahren. Wenn sie es sich mit ihren Freundinnen teilt, ist das viel billiger.
5. Also, ich nicht. Öffentliche Verkehrsmittel sind viel billiger und umweltfreundlicher.

9

After Frau Klemke's discussion with Herr Armsen, she returned home and told her husband what Herr Armsen had said about:

1. fetching his daughter from the disco.
2. buying in bulk from the supermarket.
3. travelling between home and work.

She also told him how she had replied.

Use *Hörabschnitt 1* to imagine you are Frau Klemke reporting the discussion with Herr Armsen to your husband. Start by saying *Er hat gesagt: ...* . Refer back to the discussion in Activity 8 if you need to. To link your sentences, you could use phrases such as *so ein Unsinn*, or *so ein Quatsch* (you are still annoyed with Herr Armsen).

Sprechen Sie bitte nach der ersten Frage.

Imagine you are a regular car user. Write a short text (80–100 words) in which you list the advantages of driving a car and the disadvantages of public transport. Include the points listed below.

You can use phrases like *Ein Auto ist ein Vorteil, wenn ...* or *Man kann ...* and the comparative *Es ist besser ...* .

Schreiben Sie, bitte!

Auto

- bequem
- schnell
- Tag und Nacht verfügbar (*available*)
- gut für den Großeinkauf
- macht unabhängig

Öffentliche Verkehrsmittel

- unzuverlässig
- fahren nicht Tag und Nacht
- unbequem auf langen Strecken

Lerneinheit 2 Mit Bus und Bahn

In *Lerneinheit 2* you will hear people from Tübingen talking about whether they could imagine living without a car – the emphasis now is on the advantages and disadvantages of public transport.

The first topic, *A car of my own?*, looks at car ownership from various angles. The second topic, *Promoting public transport*, deals with the advantages of public transport, while the third topic, *Increase in bus fares*, uses a newspaper article to compare information. *Lerneinheit 2* finishes with a speaking activity, *Talking about transport.*

Lerneinheit 2 will help you with the language of argument and discussion, and give you practice in extracting and comparing information.

STUDY CHART

Topic	Activity and resource	Key points
A car of my own?	**1 Text**	preparing to listen to people talking about car ownership
	2 *Übungskassette*	listening to opinions about car ownership
	3 Text	practising reflexive verbs with pronouns in the dative case
Promoting public transport	**4–5 Text**	reading an advert for using buses
	6 Text	using *wer* as a pronoun
Increase in bus fares	**7 Text**	reading an article about increases in bus fares
	8–9 Text	practising using *mehr als* and *weniger als*
Talking about transport	**10 *Übungskassette***	answering questions about local and public transport

This activity helps you to prepare for the listening activity which follows. In the column on the left below are some German expressions, and in the column on the right are their English equivalents, but not in the right order.

Was paßt zusammen?

1	völlig unmöglich	**a**	in the wider surroundings
2	im weiteren Umkreis	**b**	to join a car-sharing scheme
3	den täglichen Bedarf decken	**c**	to cover daily needs
4	sich bei Car-sharing anschließen	**d**	absolutely impossible

2

In *Hörabschnitt 2* you will hear four people (Frau Patzwahl, Herr Winter, Herr Baumann and Frau Hartmann) from Tübingen answering the question as to whether they could imagine living without a car of their own.

Hören Sie sich Hörabschnitt 2 an und beantworten Sie dann diese Fragen.

1. Was für ein Auto hat Frau Patzwahl?
2. Mit wem macht Frau Patzwahl Car-sharing?
3. Was, glaubt Herr Winter, ist auf den Dörfern noch nicht so ausgebaut?
4. Wofür, meint Herr Baumann, braucht man schon ein Auto?
5. Wie oft benutzt Frau Hartmann ihr Auto im Moment?
6. Wann wird Frau Hartmann sich Car-sharing anschließen?

3

The people in *Hörabschnitt 2* were asked the question *„Können Sie sich vorstellen, ohne ein eigenes Auto zu leben?"*. The answer might have been *„Das kann ich mir vorstellen"*. Here, the reflexive pronouns (*sich* and *mir*) are in the dative case. As you already know, the dative reflexive pronouns to watch are the first and second person singular (*mir* and *dir*). All the rest take the same form as the accusative.

Now for some practice of the phrases *Können Sie sich vorstellen ...?* and *Kannst du dir vorstellen ... ?*. A student from Leipzig University is conducting a survey about changes of lifestyle. He is asking various passers-by questions. Imagine you are this student. Here are the answers he received – draft appropriate questions. He knows the first three people well, the last three not at all.

Bitte schreiben Sie die Fragen!

1. Nein, ich kann mir nicht vorstellen, in Grünau zu wohnen.
2. Ja, ich kann mir gut vorstellen, mit dem Bus zur Arbeit zu fahren.
3. Ja, ich kann mir gut vorstellen, kein Auto zu haben.
4. Nein, ich kann mir nicht vorstellen, ohne Telefon zu leben.
5. Oh ja, ich kann mir sehr gut vorstellen, ohne Arbeit glücklich zu sein.
6. Nein, auf einer einsamen Insel zu leben, das kann ich mir überhaupt nicht vorstellen.

LERNTIP

Für's Notizbuch

Können Sie sich vorstellen ... is a very useful phrase which you may want to write down in your *Notizbuch*. If you are addressing someone informally, you could say, for example, *Kannst du dir vorstellen, ohne ein eigenes Auto zu leben?*.

In Activity 2, Herr Winter from Tübingen commented on the use of public transport as an alternative to travelling in his own car. But people seem to be unwilling to swap their steering wheel for a bus pass.

Here is an advertisement from the Union of Transport and Public Service Workers (ÖTV = *Öffentliche Dienste, Transport und Verkehr*), promoting public transport.

Sehen Sie sich das Bild an und ignorieren Sie zunächst den Text. Was machen die Leute? Was glauben Sie? Kreuzen Sie die richtige Frage auf Seite 13 an.

Moment mal...

Das ist kein Sitzstreik. Normalerweise ist diese Straße voll mit PKW. Wir wollten zeigen, wie wenig Fläche 40 Fahrgäste des öffentlichen Nahverkehrs im Gegensatz zur Blechlawine benötigen. Ganz zu schweigen von Lärm, Abgasen und Unfällen. Busse und Bahnen sind ein Beispiel von vielen für bürgernahe öffentliche Dienste, die unverzichtbar sind für umweltverträgliche Lösungen und den Wirtschaftsstandort Deutschland.

Eine Initiative der Gewerkschaften

1. Protestieren die Leute gegen den Bau von mehr Straßen? ❑
2. Zeigen die Leute, wie wenig Platz Busbenutzer verbrauchen? ❑
3. Fahren die Leute in einem futuristischen Nahverkehrsmittel? ❑
4. Machen die Leute ein Picknick auf der Straße? ❑

5

Lesen Sie jetzt die Anzeige in Übung 4 und beantworten Sie dann die folgenden Fragen auf deutsch.

der Sitzstreik *sit-in*
der Pkw (= Personenkraftwagen) *car*
die Fläche (-n) *space*
die Blechlawine (-n) *solid line of cars (literally: avalanche of metal)*
ganz zu schweigen von *to say nothing of*
öffentliche Dienste *public services*
unverzichtbar *indispensable*
umweltverträglich *not harmful to the environment*
der Wirtschaftsstandort (-e) *economic location*

1. Warum sitzen die Leute auf der Straße?
2. Wie sieht es auf der Straße normalerweise aus?
3. Verbraucht der öffentliche Nahverkehr weniger Fläche als der Individualverkehr?
4. Was ist ein gutes Beispiel für den öffentlichen Dienst?
5. Braucht Deutschlands Wirtschaft Busse und Bahnen?

6

The slogan at the bottom of the advert, *Wer nachdenkt, sagt „ja"!* could be translated as 'Whoever/Anyone who thinks about it, says "yes"!'.

This use of *wer* is very common in German. There is a famous German saying which uses the construction described above: *„Wer A sagt, muß auch B sagen!"*. Up to now, *wer* has been used as a question word meaning 'who'. In this saying it is used as a pronoun, meaning 'whoever'.

Now make up your own sentences. Match the phrases from the two lists below and use *wer* to form complete sentences.

Ordnen Sie zu und schreiben Sie dann die Sätze.

1. Auto fahren
2. mit dem Bus fahren
3. mit dem Fahrrad fahren
4. kein Auto haben
5. Deutsch lernen
6. Pkw fahren

a. viel Geld sparen
b. viel üben müssen
c. Zeitung lesen können
d. einen Parkplatz brauchen
e. einen Führerschein brauchen
f. fit bleiben

As Herr Winter said in *Hörabschnitt 2*, there are problems with public transport – with the service in more remote areas, for example. And there is also the ongoing debate about the fares on public transport. Read the article below about the increase in prices introduced by the FVV – *Frankfurter Verkehrsverein* (Frankfurt Public Transport Association).

Lesen Sie und kreuzen Sie die richtige Antwort an.

Das Fahren in Frankfurts S-Bahnen wird teurer

Deftig: Der FVV erhöht die Preise um acht Prozent

Von Dietmar Sattler

Alle Jahre wieder. Immer im September kündigt der FVV Tariferhöhungen an. Diesmal fällt die Erhöhung deftiger als in den letzten Jahren aus. Zum 1. Januar steigen die Preise um durchschnittlich acht Prozent.

Die bunte Monatskarte für das Tarifgebiet Frankfurt kostet für den FVV-Kunden im nächsten Jahr 83 Mark (bisher 76 Mark). Da der städtische Zuschuß schon zum 1. Juli von 20,50 Mark auf 10 Mark reduziert wurde, zahlt der FVV-Kunde ab Januar für die bunte Karte letztlich stolze 17,50 Mark mehr als noch im Juni. Da kostete die Monatskarte noch 65,50 Mark.

Der Einzelfahrschein in der Talzeit wird zum 1. Januar von zwei Mark auf 2,20 Mark angehoben, im Berufsverkehr wird das Ticket 2,80 Mark (bisher 2,60 Mark) kosten. Der Preis für die Kurzstrecke steigt in der Talzeit um 10 Pfennig auf 1,60 Mark und in der Spitzenzeit um 20 Pfennig auf 2,30 Mark.

deftig *substantial, heavy*
der Zuschuß (¨sse) *subsidy*
stolze 17,50 Mark *here: a whole 17.50 marks*
die Talzeit *off-peak time*
die Spitzenzeit *peak time*
ankündigen *to announce*
der Tarif (-e) *rate, charge*

1 Wie oft erhöht der FVV die Preise?
- **a** jedes Jahr ❑
- **b** jeden Monat ❑

2 Um wieviel Prozent steigen diesmal die Preise?
- **a** um genau ein Prozent ❑
- **b** um durchschnittlich acht Prozent ❑

3 Wurde der städtische Zuschuß zum 1. Juli
- **a** erhöht? ❑
- **b** reduziert? ❑

4 Wie lange kann man mit der bunten Karte fahren?
- **a** die ganze Talzeit über ❑
- **b** einen Monat lang ❑

5 Die Fahrkarte für die Kurzstrecke in der Spitzenzeit kostet jetzt
- **a** 20 Pfennig mehr. ❑
- **b** 10 Pfennig weniger. ❑

8

You may have noticed the use of *mehr als* in the article, as in „*... zahlt der FVV-Kunde ab Januar für die bunte Karte letztlich stolze 17,50 Mark* ***mehr als*** *noch im Juni*". *Mehr als* and *weniger als* are very useful phrases to know when you want to compare prices or amounts in general. In this activity you will be practising these phrases.

Read the FVV article again, making a note of the price comparisons mentioned and fill in this table.

Bitte füllen Sie die Tabelle aus.

	bisher	**jetzt**
bunte Monatskarte	76 DM	83 DM
städtischer Zuschuß		
Einzelfahrschein in der Talzeit		
Einzelfahrschein im Berufsverkehr		
Kurzstrecke in der Talzeit		
Kurzstrecke in der Spitzenzeit		

9

Now use the information from the table in Activity 8 to make sentences using the phrases *mehr als* and *weniger als*.

z.B. Die bunte Monatskarte kostet jetzt 7 Mark **mehr als** bisher.

Bitte schreiben Sie.

Finally, imagine that you are meeting a German journalist who is going to ask you questions about the traffic and public transport in your town.

You may wish to prepare your answers before you take part in the dialogue in *Hörabschnitt 3* on the *Übungskassette*. It would be a good idea not to write everything down in complete sentences, but just to prepare notes.

Hören Sie sich Hörabschnitt 3 auf der Übungskassette an und sprechen Sie in den Pausen.

Journalist Kann ich Ihnen ein paar Fragen über die Verkehrssituation in Ihrer Stadt stellen?

Sie *(Yes, go ahead.)*

Journalist Was für öffentliche Verkehrsmittel gibt es in Ihrer Stadt?

Sie *(In my home town, Warrington, there are only buses.)*

Journalist Und fahren Sie regelmäßig mit dem Bus?

Sie *(No, only on Saturdays when I go to the city centre.)*

Journalist Und wie oft benutzen Sie Ihr Auto?

Sie *(Every day to get to work.)*

Journalist Können Sie sich vorstellen, ohne Auto zu leben?

Sie	*(No, I can't imagine it because public transport is too bad.)*
Journalist	Vielen Dank für das Interview.
Sie	*(You're welcome.)*

Lerneinheit 3 **Auto? Nein, danke!**

In *Lerneinheit 3* you will get the chance to consider alternatives to the single occupancy of cars. The first topic, *Changing car use*, includes a quiz which you can fill in to discover how environmentally friendly you are as regards car use. The rest of *Lerneinheit 3* is devoted to the episode of the audio drama, *Begegnung in Leipzig*, plus a word search puzzle to help you to revise relevant vocabulary.

By the end of *Lerneinheit 3*, you will have had practice in expressing your own preferences and opinions, including the use of personal pronouns.

STUDY CHART

Topic	Activity and resource	Key points
Changing car use	**1 Text**	doing a quiz on how you use your car
	2 Text	reading about alternatives
	3 *Übungskassette*	taking part in an interview about *Fahrgemeinschaften* and *Stattauto*
Working on the drama	**4–5 *Hörspiel***	checking you've understood the drama episode
	6 Text	practising using *obwohl*
	7 *Hörspiel*	picking out personal pronouns from the drama to fill gaps
	8 Text	writing a summary of the drama episode
	9 Text	completing a word search puzzle on transport

1

In *Lerneinheit 2* you heard what many Germans think about using cars. Here is a short quiz to help you express your opinions in German about car use. The quiz has been adapted from an *ADFC- und City Biking-Umfrage* which appeared in a free booklet aimed at students, working people and *Pendler* (commuters) living in Hildesheim, northern Germany. Even if it doesn't entirely fit your circumstances – you may not have a car, for instance – choose the answer which is closest to your opinion.

Machen Sie jeweils nur ein Kreuz! Und zählen Sie dann Ihre Punkte zusammen.

WAS SIE DENKEN

1 Ich fahre täglich zur Arbeit/Schule/Uni mit
- ❍ einem Auto. (4)
- ❍ einem Motorrad. (3)
- ❍ öffentlichen Verkehrsmittel. (1)
- ❍ einem Taxi. (4)
- ❍ einem Fahrrad. (0)
- ❍ Ich gehe zu Fuß. (0)

2 Ich benutze mein Auto
- ❍ auf all meinen Wegen. (4)
- ❍ nur auf Langstrecken. (2)
- ❍ nur auf dem Weg zur Arbeit/Schule/Uni. (3)
- ❍ nur bei schlechtem Wetter. (4)
- ❍ nur in der Freizeit. (3)
- ❍ nur im Urlaub. (2)

3 Ich bin bereit, teilweise/ganz auf das Auto zu verzichten, wenn
- ❍ das Radwegenetz weiter ausgebaut wird. (1)
- ❍ die Autos aus der Innenstadt verschwinden. (2)
- ❍ die Parkgebühren auf 10 DM pro Stunde erhöht werden. (4)
- ❍ ein Liter Benzin 5 Mark kostet. (4)

4 Autofahren
- ❍ ist teuer. (1)
- ❍ ist billig. (3)
- ❍ muß teurer werden. (0)
- ❍ muß billiger werden. (4)

5 Die Innenstadt im Jahr 2000
- ❍ muß autofrei sein. (0)
- ❍ muß radfahrerfrei sein. (4)
- ❍ muß mehr Fußgängerzonen haben. (1)
- ❍ muß mehr Radwege haben. (1)
- ❍ muß mehr Fußwege haben. (1)
- ❍ muß mehr Autoparkplätze haben. (3)

Quiz – Lösungen

3–5 Sie sind sehr umweltbewußt. Sie fahren meistens mit dem Fahrrad. Ist das nicht möglich, gehen Sie zu Fuß oder fahren mit dem Bus. Es muß schon etwas Besonderes passieren, bevor Sie in ein Auto steigen. Freuen Sie sich, das ist sehr gesund für Sie und für andere.

6–11 Sie interessieren sich für die Umwelt und fahren oft mit dem Fahrrad und gehen auch gern zu Fuß. Aber manchmal sind Sie bequem und wollen nicht auf das Autofahren verzichten. Unser Tip: Fahren Sie mit dem Bus, das ist besser für die Umwelt, und vielleicht lernen Sie beim Busfahren auch nette Leute kennen.

12–16 Sie denken nicht viel an die Umwelt. Normalerweise benutzen Sie Ihr Auto. Sie fahren nur mit dem Fahrrad oder gehen zu Fuß, wenn Sie Lust haben oder weil es sportlich ist. Aber passen Sie auf: Eines Tages gibt es keine gute Luft mehr und dann auch keine Freizeitaktivität mehr für Sie!

17–20 Sie interessieren sich nicht für die Umwelt. Sie fahren immer mit dem Auto – zum Bäcker und nach Spanien. Sie haben höchstens ein Trimmfahrrad im Keller und kennen Busse von innen nicht. Sie machen Ihre und unsere Umwelt aktiv kaputt. Unser Wunsch: Lernen Sie umweltfreundliches Fahren.

das Radwegenetz *cycle path network* **bequem** *comfortable* **verzichten** *to do without*

How can the problem of too many cars be solved? Here are a couple of ideas which are gaining popularity in Germany.

Lesen Sie den Artikel und beantworten Sie die folgenden Fragen auf deutsch.

Ohne Auto? Nein, danke!

Fahrgemeinschaften

Die Idee ist einfach. Wer zusammen arbeitet, fährt gemeinsam ins Büro. Treffpunkt zum Beispiel eine Autobahnbrücke: Dort steigen alle in ein Fahrzeug um. Spart Geld, hat sich schon tausendfach bewährt.

Beispiel Ludwigshafen
Drei Frauen. Drei Autos. Ein Arbeitsplatz. Claudia Remmele, 18: „Wir kennen uns seit der gemeinsamen Ausbildung, wohnen alle in der Nähe. Die Firma ist rund 50 Kilometer entfernt. Auf Bus oder Bahn umsteigen? Da wären wir eine Stunde zu früh im Büro. So kamen wir auf die Idee, eine Fahrgemeinschaft zu bilden. Zwei Autos bleiben stehen, in einem fahren wir zu dritt.“ Jede Woche wird das Fahrzeug gewechselt.

Seit dem Sommer arbeiten sie in verschiedenen Abteilungen. „Es gab noch nie Probleme, wir sind uns immer einig.“ Die Firma findet es gut. Wer als Fahrgemeinschaft kommt, genießt einen reservierten Parkplatz.

„Stattauto“

Kommt aus Amerika unter dem Begriff Car-sharing, gibt es schon in 40 deutschen Städten. Wer ein Auto braucht, mietet es stunden-, tage-, wochenweise zum Minitarif. Allerdings: Gilt nur für Mitglieder der Initiative „Stattauto“.

Beispiel Hamburg
Gisela Ockelmann will kein eigenes Auto. Aus Überzeugung. Die 30jährige fährt meist mit dem Rad. „Trotzdem gibt's Situationen, da brauch' ich dringend eins.“ Sie trat der Initiative bei – Aufnahmegebühr 200 Mark, monatlicher Vereinsbeitrag 20 Mark, Kaution 1 000 Mark. Dafür ist sie mobil, wenn sie es will.

In Hamburg laufen 24 „Stattautos“, in Berlin schon rund 100.

gemeinsam *common, together*
sich bewähren *to pay off*
die Initiative (-n) *here: pressure group*
die Überzeugung (-en) *conviction*
dringend *urgent*
die Aufnahmegebühr (-en) *registration fee*
der Vereinsbeitrag (¨-e) *here: club fee; also: contribution*

1. Was ist eine Fahrgemeinschaft?
2. Wo kann sich eine Fahrgemeinschaft z.B. treffen?
3. Warum fährt Claudia Remmele nicht mit dem Bus oder der Bahn?
4. Welchen Vorteil genießen Fahrgemeinschaften in Frau Remmeles Firma?
5. Was ist „Stattauto“?
6. Was bezahlt Frau Ockelmann als Mitglied von „Stattauto“?
7. Wie viele Autos von „Stattauto“ laufen in Hamburg und in Berlin?

An increasing number of anglicisms (borrowings from English or American) are creeping into common German usage. One example is *Car-sharing*, which you met for the first time in *Lerneinheit* 2. This trend is particularly noticeable in subjects such as computer technology, popular culture, management and technological developments, where you will see words like *Software*, *Poster-Shop*, *Marketing-Manager* and *Recycling*. Next time you read a German newspaper or magazine, see how many examples you can find and note what categories they fall into.

3

Now imagine that you have been stopped in the street to give your views on alternatives to the one-car-one-person idea. You might use the phrases *meiner Meinung nach* (in my opinion) and *es gibt Vor- und Nachteile* (there are advantages and disadvantages). Use the prompts to help you prepare your answers and then record them in the pauses in *Hörabschnitt 4*.

Bitte sprechen Sie!

Interviewer	Haben Sie ein paar Minuten Zeit? Was halten Sie von Fahrgemeinschaften?
Sie	*(In my opinion they're a good idea.)*
Interviewer	Warum sagen Sie das?
Sie	*(Well, one advantage is that it's cheaper than driving on your own …)*
Sie	*(… but one disadvantage is that you have to wait for the others.)*
Interviewer	Fahren Sie mit dem Auto zur Arbeit?
Sie	*(Yes, I do, but I share the car with three colleagues.)*
Interviewer	Danke für das Gespräch.
Sie	*(Thank you.)*

Hörspiel, Folge 7

Now listen to the audio drama for this *Thema*. There are errors in each of the statements below.

Hören Sie sich Folge 7 des Hörspiels an und korrigieren Sie die Sätze.

1. Thomas und Kai kaufen Schokolade.
2. Sie kaufen die Schokolade für Sonja.
3. Sonja hat einen Unfall im Supermarkt gehabt.
4. Die Blumenverkäuferin hat Bettina gestern nach Hause gefahren.
5. Thomas und Kai gehen mit der Schokolade zum Krankenhaus.
6. Kai sagt, daß er Sonja mag.
7. Bettina hat einen gebrochenen Arm.
8. Sonja hat Bettina erzählt, daß Thomas und Kai nach Berlin geflogen sind.

9 Sonja hat keine Zeit. Ihr Bus fährt gleich.
10 Thomas kauft Kai einen Hamburger.

5

Hörspiel, Folge 7

In English, nuances are often conveyed by means of intonation. The Germans, however, often use adverbial particles and phrases to emphasise points. Examples of these particles and phrases are given below. Listen to the episode of the drama again and fill in the gaps with words supplied below. Some words are used more than once, and one gap may represent more than one word.

Welches Wort paßt in welche Lücke?

1 Oh, Kai, guck __________, die schönen Blumen.

2 Schade, das tut mir __________ leid.

3 Sie haben recht. Die sind aber __________ schön, finde ich.

4 Ach, das macht __________ nichts.

5 Ja, aber __________ war sie dieselbe Frau.

6 __________ kann das nicht dieselbe Frau sein.

7 Das weißt du __________, Kai.

8 Ist die Bettina __________ nicht im Krankenhaus?

9 Doch, aber __________ nicht heute.

10 Also, wenn sie diesen Unfall gehabt hat, mag sie __________ niemanden sehen.

aber auf keinen Fall bestimmt denn doch mal meiner Meinung nach vielleicht trotzdem

6

When you are arguing a case, you need to weigh up alternatives, so the conjunction *obwohl* is useful. Remember that after a subordinate clause, the verb in the main clause comes before the subject.

This activity is based on the episode of the *Hörspiel* you have just listened to – use it to practise *obwohl*.

Verbinden Sie die Sätze mit „obwohl" wie im Beispiel.

1 Bettina ist nicht im Krankenhaus. Die Freunde wollen ihr Blumen bringen.

Obwohl Bettina nicht im Krankenhaus ist, wollen die Freunde ihr Blumen bringen.

2 Die Blumen sind teuer. Thomas kauft sie trotzdem.
3 Die Blumen sind aus Kunststoff. Die Verkäuferin findet sie trotzdem schön.
4 Es war nichts Ernstes. Man hat sie ins Krankenhaus gebracht.
5 Sie liegt in einem Krankenhaus. Ich kann sie nicht besuchen.
6 Sie hat sich den Arm verletzt. Sie muß nicht im Krankenhaus bleiben.
7 Sie waren schon einmal da. Sie wissen nicht genau, ob Bettina da wohnt.

Hörspiel, Folge 7

Now listen to the last part of the *Hörspiel* episode, which takes place in Sonja's flat. This time, listen out for the missing personal pronouns in these sentences. *Füllen Sie die Lücken aus.*

1 Mach ______________ keine Sorgen, Kai.

2 Bettina, wann durftest ______________ nach Hause kommen?

3 Ich bin ausgerutscht und hab' ______________ den Arm verletzt.

4 Ich muß ______________ eine Woche ausruhen.

5 Ja, Sonja hat ______________ erzählt, daß du ...

6 Die Straßenbahn fährt auch ohne ______________ !

7 Schämst du ______________ nicht?

8 Kannst du ______________ das erklären?

9 Du willst doch unbedingt mit ______________ ausgehen!

10 Du hast immer gesagt, daß da nichts zwischen ______________ war!

11 Doch, Sonja, natürlich, aber du hast ______________ belogen ...

12 Dann kaufe ich ______________ einen Milchshake.

13 Ach, Sonja, das ist unmöglich. Wir stehen hier und streiten ______________ .

14 Ich traue ______________ nicht.

15 Ach, es tut ______________ leid, Thomas.

8

Summarise the events which took place in this episode of the drama. Here are some questions to help you to structure your summary.

Schreiben Sie eine Zusammenfassung (ungefähr 100 Wörter).

- Was machen Thomas und Kai im Blumengeschäft?
- Worüber reden sie mit der Verkäuferin?
- Wohin gehen Thomas und Kai mit den Blumen?
- Was passiert in Bettinas und Sonjas Wohnung?

9

Now you deserve some light relief! Here's a word search puzzle for you. The theme of the puzzle is transport. You will have met most of the words in this *Lerneinheit* and some at an earlier stage. As you find each German word (it may help to draw a line around the word), write it next to the correct English equivalent in the list on page 23. Note that *ä* is written as *ae* and *ß* is written as *ss*.

Lösen Sie das Rätsel.

S	A	G	U	E	Z	G	U	L	F	I	E
T	T	L	A	N	G	S	A	M	X	W	S
A	M	R	E	U	E	T	H	A	R	K	A
U	N	D	A	R	R	O	T	O	M	L	G
T	E	A	P	S	C	H	N	E	L	L	B
M	T	R	A	N	S	P	O	R	T	A	A
O	K	G	U	T	R	E	I	S	E	F	F
B	A	H	N	H	O	F	N	U	T	N	A
I	R	O	N	I	Z	N	E	B	S	U	H
L	T	Z	T	A	L	P	K	R	A	P	R
D	E	P	T	F	N	U	K	N	A	H	E
A	L	I	E	F	E	R	W	A	G	E	N

accident ______________

aeroplane ______________

arrival ______________

bus ______________

delivery van ______________

exhaust fumes ______________

expensive ______________

fast ______________

good ______________

journey ______________

late ______________

lorry (abbreviation) ______________

mobile ______________

motor bike ______________

parking place/car park ______________

petrol ______________

slow ______________

station ______________

taxi ______________

ticket ______________

to drive/go ______________

traffic jam ______________

tram ______________

transport ______________

Checkliste

By the end of *Teil I* you should be able to

- ○ use reflexive verbs in the dative case (*Lerneinheit 2*, Activity 3)
- ○ make comparisons using *weniger als* and *mehr als* (*Lerneinheit 2*, Activities 8–9)
- ○ express an opinion about sharing a car (*Lerneinheit 3*, Activity 3)
- ○ understand the use of adverbial particles and phrases (*Lerneinheit 3*, Activity 5)
- ○ express ideas using *obwohl* and subordinate clauses (*Lerneinheit 3*, Activity 6)
- ○ use personal pronouns correctly (*Lerneinheit 3*, Activity 7)

Teil 2

Öko-Aktionen

In *Teil 2* you will look at recycling and other initiatives relating to environmental awareness and at the changes they have brought to everyday life in Germany.

In *Lerneinheit 4*, *Gelber Sack und Biotonne*, you will find out more about how the Germans sort their waste at home. Then, in *Lerneinheit 5*, *Naturwaren & Co.*, you will look at issues relating to the sale of *umweltfreundliche* (environmentally friendly) products. Finally, in *Lerneinheit 6*, *Grüne Initiativen*, you will be introduced to individuals who have changed to a more ecologically conscious lifestyle.

By the end of *Teil 2*, you will be able to describe processes and statistics relating to recycling, and talk about waste management and different aspects of buying organic food.

Lerneinheit 4 Gelber Sack und Biotonne

In *Lerneinheit 4* you will work with the second part of the video for *Thema 7*. This deals with one of the most striking examples of environmental awareness in Germany: the policy on waste disposal. You will look at it from various angles: the individual, the political and specific problems it causes in retailing.

In the first topic, *Environmental issues in Tübingen*, you will hear about recycling, developments in the city and traffic problems. The second topic, *The politics of waste*, deals with a political party's comments on waste disposal. Finally, you will talk about what to do with household rubbish in *Sorting your waste*.

By the end of *Lerneinheit 4*, you should not only know more about environmental issues in German, and be able to take part in a conversation on the subject, but you will also have practised using the passive and ways of presenting statistical information.

STUDY CHART

Topic	Activity and resource	Key points
Environmental issues in Tübingen	**1 Text**	preparing to watch the video
	2 Video	watching the video and checking you've understood it
	3–4 Video	working on the video in detail
	5 Text	sorting waste into categories
	6 Text	practising *das heißt*
	7 Text	practising the passive
The politics of waste	**8 Text**	reading about waste management in Germany
	9 Text	looking at ways of expressing percentages
Sorting your waste	**10** ***Übungskassette***	taking part in a dialogue about sorting out waste

1

In Germany there is a strict policy on recycling. Every household is supposed to collect, separate and reuse waste. Special containers are provided for the various kinds of waste: one of these is *der Gelbe Sack*, which is meant for waste which is difficult to recycle, such as plastic or tin.

This activity serves as an introduction to the first part of the video on waste disposal. You will need to understand the words for different materials. Look at the vocabulary in the list below – use your dictionary if you are not sure what the words mean.

Lesen Sie die Sätze unten. Welche Vokabel paßt wo?

1 Papier kommt zum Altpapier

2 Organische Abfälle kommen auf den Kompost.

3 Metall, Kunststoff und Verpackungen kommen in den Gelben Sack.

4 Glas kommt zum Alt glas.

5 Chemikalien sind Sondermüll.

Kompost Altglas Gelben Sack Sondermüll Altpapier

Sibylle Hartmann kommt aus Berlin. Sie ist verheiratet und hat drei Kinder. Sie lebt seit 1968 in Tübingen. Seit 1986 ist sie Umweltbeauftragte bei der Stadt Tübingen. Ihre Freizeit verbringt sie mit ihrer Familie, im Garten und mit der umweltfreundlichen Sanierung ihres Hauses.

04:43–09:29

This part of the video is divided into two sections: the first is about recycling and the second is about environmental problems in Tübingen.

Watch the whole video and concentrate on general comprehension, then answer the questions in English with the help of the *Wortschatz*. If you can't work out all the answers after watching the video twice, use the video transcript.

Schauen Sie sich das Video an und beantworten Sie die Fragen auf englisch!

nach dem Gesetz *according to the law*
bündeln *to bundle up*
giftig *poisonous*
sich leisten *to afford*
die Stadtverwaltung (-en) *council administration*
das Beschaffungswesen *purchasing division*
das Verfahren (-) *process*
sicherstellen *to ensure*
die Umweltbelange *(pl) environmental matters*
berücksichtigen *to take something into consideration*
der Bebauungsplan (¨-e) *plan concerning city developments*
versiegeln *to seal*
wesentlich *important*
bewirtschaften *to service*
beschränken *to restrict*

1. Why is it a legal obligation to separate waste correctly?
2. Where is *der Gelbe Sack* usually kept in Frau Hartmann's household?
3. According to Frau Hartmann, what does the town of Tübingen try to consider when planning projects?
4. According to Dr. Setzler, which group of the population is responsible for increasing car traffic in Tübingen?
5. Which two measures has the council taken to deal with the traffic problem?
6. Which two traffic-related problems does Dr. Setzler describe?
7. According to Frau Hartmann, what does the council do to deter people from using their cars? Name four actions.
8. How many students were there in Tübingen 10 years before the interview was done?
9. How many students were there 30 years before the interview?
10. Does Dr. Setzler think the town should go for quality or quantity?
11. What does Frau Hartmann think people have to learn?

05:02–06:06

Now turn to the first part of the video again. Frau Hartmann is sorting out her rubbish and describing developments in Tübingen. She is, of course, the *Umweltbeauftragte* responsible for environmental matters in Tübingen, and so she is particularly aware of the need to sort rubbish. First look at the sketch of Frau Hartmann's kitchen below. Then watch the video and put the numbers of the different kinds of rubbish in the box where they belong.

Welchen Müll tut Frau Hartmann wohin?

1 Batterien
2 Korken
3 Flaschen
4 Zeitungen
5 Dosen
6 Restabfälle
7 Plastik
8 Aluminium

05:02–06:06

Sehen Sie sich den Videoabschnitt noch einmal an und beantworten Sie dann die Fragen auf deutsch.

1 Was soll nach dem Gesetz richtig getrennt werden?
2 Wohin bringt Frau Hartmann Glas?
3 Wohin kommen, laut Frau Hartmann, Batterien?
4 Gab es vor Frau Hartmann in anderen Städten Umweltbeauftragte?
5 Wie versucht die Stadt Tübingen, bei ihren Planungen zu handeln?
6 Was sagt Frau Hartmann, welche drei Dinge werden beim Bauen verbraucht?

Now it's your turn to sort the waste into the right bins.

Füllen Sie den Müll in die richtigen Behälter.

Zahnpastatuben Flaschen Gemüseabfälle Joghurtbecher Zeitungen Dosen Saftkartons Plastikflaschen Insektenspray Kataloge Verschlüsse Essensreste Obstgläser Deckel Beutel Vakuumverpackungen Batterien Illustrierte Altöl Aluminiumfolie

6 You heard Frau Hartmann saying „*Die Parkplätze werden bewirtschaftet, das heißt, man muß bezahlen*". She is adding to the phrase *Die Parkplätze werden bewirtschaftet* another one with a similar meaning, *man muß bezahlen.* She joins them together with *das heißt* (that means). Here are two sets of sentences. First, find matching sentences, then join them together using *das heißt.*

Welche Sätze passen zusammen? Verbinden Sie die Sätze wie in Frau Hartmanns Beispiel.

1	Der Müll wird richtig getrennt.	**a**	Man muß bezahlen.
2	Emissionen werden minimiert.	**b**	Man wäscht ihn.
3	Die Parkplätze werden bewirtschaftet.	**c**	Man baut mehr Fahrradwege.
4	Der Plastikabfall wird zerkleinert.	**d**	Man sortiert Papier und Glas.
5	Die Situation für Fahrradfahrer wird verbessert.	**e**	Man macht sie enger.
6	Der Hund wird gebadet.	**f**	Man schneidet ihn klein.
7	Straßen werden zurückgebaut.	**g**	Man reduziert Abgase.

USING the passive in particular German phrases

You will have noticed that the sentences in the left-hand column in Activity 6 are all passive constructions. There are some particular German phrases where the passive is always used – you need to learn them as they do not translate into English literally.

Bei uns wird um acht gegessen. *We normally eat at eight.*

Hier wird gelacht. *You can have a good laugh here.*

Hier wird gearbeitet und kein Blödsinn gemacht! *You've got to work here, you're not supposed to mess about!*

It is important to know the passive, as it is used more often in German than in English. Frau Hartmann, for example, uses the passive to describe various things the town council does. This activity gives you an opportunity to practise the passive.

Lesen Sie den Text und setzen Sie dann alle fettgedruckten aktiven Ausdrücke ins Passiv.

z.B. In Tübingen wird versucht, umweltverträglich zu handeln, das heißt, die Umweltbelange werden bei allen Planungen berücksichtigt.

In Tübingen **versucht man**, umweltverträglich zu handeln, das heißt, **man berücksichtigt** die Umweltbelange bei allen Planungen. Zum Bauen **braucht man** natürlich Boden. Und **man verbraucht** auch Wasser und Energie, daß heißt, **man versiegelt** Flächen für Parkplätze und Straßen, und **man benutzt** wertvolle Ressourcen.

As you heard on the video, the collection of waste is regulated by law in Germany. It is therefore not surprising that waste management is a hotly debated political issue and that every German party has something to say about it.

Lesen Sie zuerst den Text von den „Grünen". Benutzen Sie dazu den Wortschatz. Korrigieren Sie dann die falschen Informationen in den Sätzen auf Seite 32, und schreiben Sie die korrekten Sätze auf.

Das kennen Sie von Ihren Einkäufen: Lebensmittel und andere Waren sind aufwendig verpackt. Die häuslichen Mülltonnen füllen sich schnell mit Kunststoffen, Dosen, Einwegflaschen, Pappen und anderen Verpackungen. Heute macht der Verpackungsmüll schon gut 30% des Müllberges aus den Haushalten aus. Die Folge: Überquellende Mülldeponien und immer mehr Müllverbrennungsanlagen, die gegen den Widerstand der in der Nähe wohnenden Bürgerinnen und Bürger gebaut werden.

Der Müllnotstand ist ausgerufen!

aufwendig *lavishly*
die Mülltonne (-n) *rubbish bin*
der Kunststoff (-e) *synthetic substance*
die Einwegflasche (-n) *non-returnable bottle*
die Pappe (-n) *cardboard*
die Verpackung (-en) *packaging*
überquellend *overflowing*
die Mülldeponie (-n) *rubbish dump*
die Verbrennungsanlage (-n) *incineration plant*
der Widerstand (¨-e) *resistance*
der Notstand (¨-e) *state of emergency*

1 Lebensmittel sind kaum verpackt.
Lebensmittel sind **aufwendig** verpackt.
2 Es gibt zu wenig Verkaufsverpackungen.
3 Das Problem ist hier der Industriemüll.
4 Die Größe der Mülltonnen ist ein Problem.
5 Einwegflaschen kommen nicht in die Mülltonnen.
6 Der Hausmüll macht etwa dreißig Prozent des Müllberges aus.
7 Die Mülldeponien sind leer.
8 Es gibt genug Müllverbrennungsanlagen.
9 Die Bürger und Bürgerinnen protestieren, weil sie nicht am Müllproblem interessiert sind.

LERNTIP

You can describe percentages in several ways:

ausmachen (*sep*) plus **%** Glasprodukte machen 30% des Mülls aus.

betragen plus **%** Glasprodukte betragen 30% des Mülls.

sein plus **%** 30% des Mülls sind Glasprodukte.

9

betragen *to amount to*

You will have noticed the expression *macht 30% aus* in the extract in Activity 8 and in the *Lerntip*. It is always useful to have some facts and figures at your fingertips to back up your arguments. In this activity you will practise using percentages by asking questions about the quantities of rubbish generated by homes in Niedersachsen.

Schauen Sie sich das Diagramm auf Seite 33 an und stellen Sie Fragen. Benutzen Sie „wieviel".

1 Wieviel Prozent des Hausmülls sind Glasprodukte?
12% Prozent des Hausmülls sind Glasprodukte.
2 Papier und Pappe betragen 20% des Hausmülls.
3 Kunststoffe und Textilien machen 9% des Hausmülls aus.
4 Organische Abfälle machen 43% des Hausmülls aus.

5 Metalle betragen 4% des Hausmülls.

6 12% des Hausmülls sind Reststoffe.

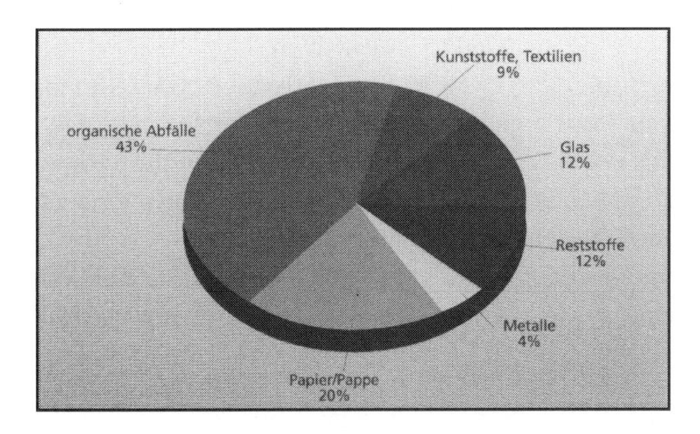

In *Hörabschnitt 5* you will be interviewed about waste disposal in Germany.

Schreiben Sie zuerst die Antworten auf deutsch auf. Sprechen Sie dann in den Pausen.

Interviewerin	Was muß man heutzutage mit dem Hausmüll machen?
Sie	*(You have to sort it.)*
Interviewerin	Und wonach sortiert man den Müll?
Sie	*(You sort it into paper, bottles and plastic, for example.)*
Interviewerin	Und was macht man mit den Flaschen?
Sie	*(They go into the bottle bank.)*
Interviewerin	Und Papier?
Sie	*(That goes into the used paper collection.)*
Interviewerin	Und wohin kommt Plastik?
Sie	*(Plastic doesn't go in the rubbish bin, but into the yellow sack.)*
Interviewerin	Und was passiert mit dem anderen Müll?
Sie	*(Hmm, batteries, for instance, you put into the special waste collection, because they're poisonous.)*
Interviewerin	Okay. Das war's. Vielen Dank für das Gespräch.
Sie	*(Thank you.)*

Lerneinheit 5 Naturwaren & Co.

The main theme of *Lerneinheit 5* is shopping for *umweltfreundliche Produkte* and what criteria are used to assess them.

The first topic, *Recycling in song*, introduces you to an unusual way of picking up things for your home: from the streets. The second topic, *Öko-Shopping*, deals with buying ecologically sound products, and the third topic, *Environmentally acceptable goods*, is about the criteria products have to meet in order to be labelled environmentally friendly.

In *Lerneinheit 5* you will get practice in identifying and writing different kinds of questions, as well as some insights into German attitudes towards recycling and waste disposal.

STUDY CHART

Topic	Activity and resource	Key points
Recycling in song	**1–3 *Übungskassette***	listening to a song about recycling and checking you've understood it
Öko-Shopping	**4–5 Text**	reading advertisements for environmentally friendly products
	6 Text	reading a leaflet from an organic food retailer
	7 Text	practising *welch-*
Environmentally acceptable goods	**8–9 Text**	considering the *Aktion Umweltzeichen* criteria
	10 Text	practising using *weil* and *denn*
	11 Text	writing different kinds of questions

Most people go to the shops when they need something. In Germany, however, some people prefer to explore alternative sources. In *Hörabschnitt 6* you can hear the *Sperrmüll* song which describes one such source.

Sperrmüll is a system for recycling bulky (*sperrig*) goods, mainly furniture. People simply put their unwanted goods out on the street during the evening and the next day the council takes them away. Most German councils have a rota system, collecting *Sperrmüll* twice a year in each district. Naturally, many people search the rubbish for things they can use. Some people even build and furnish their homes with *Sperrmüll*.

Hören Sie sich Hörabschnitt 6 auf der Übungskassette an. Kreuzen Sie dann die richtige Antwort an.

1 The fence is made of
- **a** cardboard boxes. ❑
- **b** tyres. ❑

2 The gate is made of a
- **a** window frame. ❑
- **b** shelf. ❑

3 The staircase is made of
- **a** wooden boxes. ❑
- **b** chairs. ❑

4 The door is a
- **a** bedspread. ❑
- **b** chalk drawing. ❑

5 The room is furnished
- **a** in a modern style. ❑
- **b** with mattresses. ❑

6 The house is
- **a** full. ❑
- **b** big. ❑

2 *Hören Sie sich Hörabschnitt 6 noch einmal an und machen Sie dann die Übung unten. Ordnen Sie die Sätze zu.*

1	Mit Kartons da bau'n	**a**	wird das Gartentor.
2	Ein Regal davor	**b**	unser Haus nun voll.
3	Für die Treppe 'rauf	**c**	ganz modern möbliert.
4	Danach malen wir	**d**	wir zuerst den Zaun.
5	Und das Zimmer wird	**e**	stell'n wir Kisten auf.
6	Damit ist ganz toll	**f**	eine Kreidetür.

3 This activity will help you with pronunciation and colloquial German. Listen to the song in *Hörabschnitt 6* again, this time pressing the pause button on your cassette recorder after the first half of every second line. Then complete the line (singing or just saying the words), release the button and carry on.

Singen Sie jetzt!

LERNTIP

Did you notice the way words were abbreviated to fit the rhyme better, for example:

Mit Kartons da *bau'n* = Mit Kartons da *bauen*

Für die Treppe *'rauf* = Für die Treppe *herauf*

If you listen carefully, you can detect these abbreviations being used constantly in everyday German.

Not only do a growing number of people in Germany reuse and recycle goods, but they are also willing to support shops which sell environmentally friendly goods and produce. This activity provides information about German shops which sell such goods.

Lesen Sie die Anzeigen und ordnen Sie die richtigen Überschriften zu.

1 Bio-Logisch!
2 RADlager
3 Fair Trade
4 Natur und Mode

einheimisch *regional, local*
anziehend *attractive*
der Erzeuger (-) *producer*
der Anbau *cultivation, growth*
der Kinderanhänger (-) *child transporter which is towed behind a bicycle*
das Auslaufmodell (-e) *discontinued model*
die Beratung *advice*

a

Unsere Wäsche ist gut für Ihre Haut, wir verwenden nur natürliche Materialien und produzieren in einheimischen Betrieben.

Unsere Mode ist wirklich anziehend.

Wir freuen uns auf Ihren Besuch.

Hagerstr. 12, 72070 Tübingen

b

Gemüse, Suppenhühner und Puten – alles frisch vom Erzeuger. Nudeln, Marmeladen und Milchprodukte aus eigener Herstellung.

Wir verkaufen nur Produkte aus garantiert biologischem Anbau.

Öffnungszeiten: Di–Fr 10.00–17.30

Tü, Marktgasse 17

c

Wir führen fair gehandelte und biologisch angebaute Produkte aus Asien und Südamerika: Kaffee, Tee, Kakao, Vollrohrzucker, Schokolade und vieles andere mehr.

Tübingen, Meisenplatz 23

d

Satteln Sie um!

Großes Angebot an Fahrrädern, Kinderanhängern, Zubehör usw., Auslaufmodelle zu günstigen Preisen.

Wir bieten große Auswahl, ausführliche Beratung und exzellenten Service.

Lazarusgasse 55 72070 Tübingen

5

Now think about what these shops sell in more detail.

Beantworten Sie bitte die Fragen.

1. Nennen Sie fünf Produkte, die Sie bei *Bio-Logisch* kaufen können.
2. Was kann man bei *Fair Trade* kaufen?
3. Was bietet *RADlager*?
4. Woher kommen die Produkte von *Fair Trade*?
5. Wo produziert *Natur und Mode* seine Wäsche?

Even though *Öko-Shops* are very popular, many people are sceptical about how environmentally friendly their products actually are. So *Öko-Shops* are keen to convince their customers that they get what they pay for. This extract comes from a leaflet produced by an association of organic food retailers.

Lesen Sie den Abschnitt. Benutzen Sie dazu den Wortschatz! Übersetzen Sie die fünf Titel (1–5) ins Englische.

Regionalgemeinschaft Naturkost Bonn e.V. *Regional Association for Organic Food in Bonn*

sich etwas zum Ziel setzen *to make something one's aim*

umfassend *extensive*

die Richtlinie (-n) *guideline*

die Europäische Gemeinschaft *the European Community*

nachvollziehbar *here: open to scrutiny*

meiden/vermeiden *to avoid*

der Verteiler (-) *distributor*

der Stellenwert *place, status*

zustehen *to deserve*

Regionalgemeinschaft Naturkost Bonn e.V.

Wir haben uns ökologisches Handeln rund um den ökologischen Handel zum Ziel gesetzt.

1. Wir bieten ein umfassendes biologisches Sortiment

In unseren Läden finden Sie kontrolliert biologische Qualität. Unser gesamtes Sortiment erfüllt die Richtlinien der Europäischen Gemeinschaft.

2. Wir bieten Transparenz

Anbau, Verarbeitung, Transport der Lebensmittel sind nachvollziehbar. Wir können Ihnen genau sagen, welche Möhre von welchem Acker kommt, denn wir kennen unsere regionalen ErzeugerInnen und HerstellerInnen noch persönlich.

3. Wir bevorzugen regionale Lebensmittel

Wir meiden den Umgang mit Konzernen und Großverteilern, fördern den regionalen Handel und unterstützen die Bauern und BäuerInnen der Bonner Umgebung.

4. Wir bieten Obst und Gemüse der 4 Jahreszeiten

Produkte der Saison bekommen den Stellenwert, der ihnen zusteht: Tomaten im Sommer, Trauben im Herbst.

5. Wir vermeiden Verpackungsmüll

In unseren Geschäften erhalten Sie einen Großteil der Ware in umweltfreundlicher Verpackung oder lose.

You may have noticed the expression *welche Möhre von welchem Acker kommt* (which carrot comes from which field) in the article in Activity 6. Note that *welch-* declines like the definite article. Use it in this activity to write questions.

Schreiben Sie die Fragen zu den Antworten.

1. Welche Richtlinien erfüllt das gesamte Sortiment?
   Das gesamte Sortiment erfüllt die Richtlinien **der Europäischen Gemeinschaft**.
2. Die Regionalgemeinschaft bevorzugt **regionale** Lebensmittel.
3. Die Regionalgemeinschaft fördert den **regionalen** Handel.
4. Die Regionalgemeinschaft unterstützt die Bauern und Bäuerinnen **der Bonner Umgebung**.
5. Die Regionalgemeinschaft vermeidet **den Verpackungsmüll**.

Apart from products which are designed specifically to be ecologically acceptable, there is also a government initiative called the *Aktion Umweltzeichen*, which promotes ordinary products which are not damaging to the environment.

Here is a list of the *Aktion Umweltzeichen* criteria. If a product meets the criteria it can carry the logo, known as the *Blauer Umweltengel*.

Welche Übersetzung paßt?

1	ist mehrfach verwendbar	a	has a low noise level
2	ist sparsam im Verbrauch von Ressourcen	b	made from second-hand materials
3	enthält weniger Schadstoffe	c	can be reused several times
4	gibt nur wenig Schadstoffe an die Umwelt ab	d	is economical with the use of resources
5	wurde aus Altstoffen hergestellt	e	emits a minimum of harmful substances into the environment
6	fährt leise	f	contains fewer toxic substances

9

Now decide just what makes each of these products fit the criteria.

Kreuzen Sie die richtige Antwort an.

1 Recyclingpapier
- **a** gibt nur wenig Schadstoffe an die Umwelt ab. ❑
- **b** wird aus Altstoffen hergestellt. ❑
- **c** enthält weniger Schadstoffe. ❑

2 Mehrwegflaschen
- **a** enthalten weniger Schadstoffe. ❑
- **b** werden aus Altstoffen hergestellt. ❑
- **c** sind mehrfach verwendbar. ❑

3 Schadstoffarme Lacke
- **a** werden aus Altstoffen hergestellt. ❑
- **b** sind sparsam im Verbrauch von Ressourcen. ❑
- **c** enthalten weniger Schadstoffe. ❑

4 Wassersparende Armaturen
- **a** geben nur wenig Schadstoffe an die Umwelt ab. ❑
- **b** werden aus Altstoffen hergestellt. ❑
- **c** sind sparsam im Verbrauch von Ressourcen. ❑

Now use *weil* or *denn* to give reasons why the products mentioned in Activity 9 are more environmentally friendly than other similar products.

Beantworten Sie die Fragen.

1. Warum bekommt Recyclingpapier den Blauen Umweltengel und nicht normales Papier?
2. Warum sind Mehrwegflaschen besser für die Umwelt als Einwegflaschen?
3. Warum bekommen schadstoffarme Lacke den Blauen Umweltengel?
4. Und warum sind wassersparende Armaturen besser für die Umwelt?

ASKING questions

There are three ways of asking questions in German which correspond to the ways questions are asked in English.

1 Question tags

Aber Aluminium, Verschlüsse und Korken kommen in den Gelben Sack, *nicht*?
Zeitungen, Kataloge und Illustrierte kommen in den Gelben Sack, *nicht wahr*?

CONTINUED

These questions are formed simply by adding a question tag such as *nicht?* or *nicht wahr?*. You make a statement and add one of these expressions, which signals to the person you are talking to that you want to know what he or she thinks. …, *oder?*, …, *ja?*, …, *'ne?* and …, *gell?* all do the same job. Question tags like these are similar to English ones such as 'isn't it?' or 'don't they?' or 'won't you?'.

2 Closed questions

Here are a couple of examples of closed questions based on *Lerneinheit 4*.

Baut man in Tübingen?

Braucht man Boden?

In closed questions the verb comes first, followed by the subject. They are called 'closed' questions because a 'yes' or 'no' is sufficient to answer them. They are a very good way of asking questions if you just want straightforward information, since you shouldn't get elaborate, confusing explanations in reply or, even if you do, you'll get a *ja* or *nein* first which you will always understand. Note that in German it is completely acceptable to answer questions with a simple *ja* or *nein*. You are not necessarily obliged to say more.

3 Open questions

Finally, there are questions introduced by particular words such as *Wann?*, *Was?*, *Warum?*, *Wer?*, *Wie?*, *Wo?* and *Woher?*.

Warum gehen Sie zu Fair Trade?

Was macht Frau Hartmann mit Papier?

These questions are formed by putting a question word first in a sentence, followed by the verb and then the subject of the verb (i.e. inverted word order). These questions are called open questions because there is no way of telling in advance what the answer will be, or how long or short it might be.

Now for some practice in writing different kinds of questions.

Stellen Sie die Fragen zu den Antworten.

1 Ich komme aus Deutschland.
2 Ich arbeite bei der Regierung.
3 Nein, ich bin kein Beamter.
4 Man kann mich treffen, wenn man ein umweltfreundliches Produkt kauft.
5 Ich gebe Informationen.
6 Konsumenten finden die Informationen interessant.
7 Die Informationen sind wichtig, weil sie der Umwelt helfen.
8 Nein, ich bin nicht grün. Ich bin blau.

So who is the person you have been questioning?

Lerneinheit 6 Grüne Initiativen

In *Lerneinheit 6* you will listen to the *Hörbericht* for *Thema 7*, *Ein Ökobauernhof*, which is about environmental issues and initiatives. You will also read about Petra Kelly, well known all over the world for her political initiatives on behalf of the German Green Party.

In the first topic, *Ein Ökobauernhof*, you will hear an organic farmer from Tübingen talking about his work. The second topic introduces you to *Petra Kelly, a founder of Die Grünen.*

Lerneinheit 6 will give you practice in summarising issues, writing about what may or may not be allowed and giving an opinion about buying organic foods.

STUDY CHART

Topic	Activity and resource	Key points
Ein Ökobauernhof	**1 Text**	preparing to listen to the *Hörbericht*
	2 *Hörbericht*	writing a short summary of part of the audio feature
	3–4 *Hörbericht*	checking you've understood the *Hörbericht*
	5 Text	practising using *dürfen*
	6 Text	writing a summary of Herr Bosch's point of view
	7 *Hörbericht*	listening to people's opinions on buying organic foods
	8 *Hörbericht*	checking you've understood an old farming song
	9 *Übungskassette*	taking part in a dialogue about ecologically sound products
Petra Kelly, a founder of *Die Grünen*	**10 Text**	translating Petra Kelly's motto
	11 Text	reading about Petra Kelly's life and work

Earlier in *Thema 7* you heard about what German consumers do in the way of recycling and shopping to be more environmentally friendly. Most of the activities in this *Lerneinheit* focus on a feature about a producer of organic foods and the problems he faces.

This activity helps you to prepare for the *Hörbericht* by checking your knowledge of the vocabulary it uses. Divide the words below into two lists. The first list should include words which obviously have something to do with farming, the second those which don't. Then write down the English translations.

Schreiben Sie alle Vokabeln auf, die zur Landwirtschaft gehören. Es gibt acht. Benutzen Sie dazu Ihr Wörterbuch. Machen Sie eine zweite Liste mit den anderen Vokabeln!

Unkraut Kette Richtlinie Dünger Ackerland Schutzgebiet Kreislauf Kuhstall
Getreide Viehherde Auswirkung Pflug Befriedigung Bauernhof

Hörbericht 7

Now you will hear about the various processes involved in organic farming. Listen to the *Hörbericht*, ignoring the old farming song for the time being.

Hören Sie sich zuerst den Hörbericht bis „… will er seinen Kuhstall in einen Laufstall umbauen" an. Schreiben Sie dann eine kurze Zusammenfassung auf englisch (50 Wörter).

der Roggen *rye*
der Weizen *wheat*
der Hafer *oats*
die Braugerste *barley for brewing*
umweltschonend *gentle to, protective of the environment*
der Absatz *here: sales*
der Weidegang *grazing*
der Laufstall (¨-e) *covered cattleyard*

Hörbericht 7

Hören Sie sich den Hörbericht noch einmal an und beantworten Sie dann die Fragen auf deutsch.

1 Welche Form der Landwirtschaft betreibt Peter Bosch?
2 Was für Milch produziert die Milchviehherde?
3 Was macht das Tübinger Milchwerk?
4 Was baut Peter Bosch auf dem verbleibenden Ackerland an?
5 Wie vernichtet Herr Bosch Unkraut?
6 Wo hält er seine Kühe?

Hörbericht 7

Now you will hear about the problems which beset organic farming. Listen to the next part of the *Hörbericht* which starts *„Warum ist Herr Bosch Ökobauer geworden?"* down to where he says *„wertvolle Nahrungsmittel für die Bevölkerung zu erzeugen"*. Don't worry about the farming song – you will come back to this later.

die Vorschrift (-en) *regulation*
festlegen *to lay down*
belasten *here: to pollute*
der Buhmann (¨-er) *bogeyman*
der Dung *dung*
die Bürgerinitiative (-n) *pressure group*
verhindern *to prevent*
durchsickern *to seep through*
Beitrag leisten *to make a contribution*

Kreuzen Sie die richtige Antwort an.

1 Warum ist Herr Bosch Ökobauer geworden?
- **a** Weil das eine neue Vorschrift ist. ❑
- **b** Weil sein Hof mitten in einem Wasserschutzgebiet liegt. ❑
- **c** Weil er Buhmann sein wollte. ❑

2 Darf Herr Bosch seinen Kuhdung überall liegenlassen?
- **a** Ja, denn er ist umweltschonend. ❑
- **b** Nein, denn er enthält auch Nitrat. ❑
- **c** Ja, aber nur zu bestimmten Zeiten. ❑

3 Was darf Herr Bosch 20 Hektar um den Trinkwasserbrunnen herum machen?
- **a** Getreide anbauen. ❑
- **b** Düngemittel benutzen. ❑
- **c** Nichts. ❑

4 Was passierte mit der Bürgerinitiative gegen den Straßenbau? Sie wurde
- **a** von Landwirten verhindert. ❑
- **b** durch einen Streit vernichtet. ❑
- **c** von vielen Leuten unterstützt. ❑

5 Wann sickert Nitrat ins Wasser? Wenn
- **a** Kühe zu viele Pflanzen fressen. ❑
- **b** ein Bauer zu wenig Ackerland und zu viel Dung hat. ❑
- **c** es zu viel Trinkwasser gibt. ❑

6 Warum ist Herr Bosch immer noch sehr gerne Ökobauer?
- **a** Weil es Befriedigung bringt. ❑
- **b** Weil es mehr Geld kostet. ❑
- **c** Weil es viel Arbeit bedeutet. ❑

5

Because he's an organic farmer, Herr Bosch faces a lot of legal restrictions. In this activity you will practise the use of the modal verb *dürfen*, which means 'to be allowed' or 'permitted'.

Antworten Sie mit „er darf" oder „er darf nicht".

1 seine Kühe anbinden

Er darf seine Kühe anbinden.

2 Getreide anbauen

3 überall Kuhdung benutzen

4 beim Trinkwasserbrunnen düngen

5 gegen den Straßenbau protestieren

6 Kunstdünger benutzen

Now write a short statement in German (up to 100 words) as if you were Herr Bosch about the problems of ecological farming, based on what you have heard in the *Hörbericht*. Try to use all of the three phrases given here, which should help you to present Herr Bosch's opinions. Some areas of concern are given as well.

Schreiben Sie jetzt Ihren Text.

1. Mein Problem ist, daß …
2. Im Gegensatz zur etablierten Landwirtschaft darf ich …
3. Wenn ich Landwirtschaft betreibe, …

- kein Getreide und keine Düngemittel um den Trinkwasserbrunnen
- Benutzen von Pestiziden
- Unkrautbekämpfung – mechanisch, mit der Hand

Hörbericht 7

A problem with the marketing of organic products is that, in general, they cost more than their non-organic equivalents.

Listen to the people in the last part of the *Hörbericht* saying when they would consider buying organic products and note down which point is mentioned by which person.

Kreuzen Sie bitte an!

	Frau Hartmann	Herr Winck	Frau Seeger
Fleischskandal			
Mode			
Babynahrung			
Preisvergleich			
Bio ist gesund			
Ökoprodukte sind teuer			

Hörbericht 7

Now return to the old farming song you heard twice in the *Hörbericht*. You may have found the language in the song a bit old-fashioned but it is not too difficult to understand. Complete the farming expressions by matching the verbs with their objects in the table on page 45.

Lesen Sie zuerst den Liedtext, dann kreuzen Sie bitte an.

Im Märzen der Bauer die Rößlein einspannt,
er setzt seine Felder und Wiesen instand.
Er pflüget den Boden, er egget und sät,
und rührt seine Hände früh morgens und spät.

So geht unter Arbeit das Frühjahr vorbei;
dann erntet der Bauer das duftende Heu.
Er mäht das Getreide, dann drischt er es aus:
Im Winter da gibt es manch fröhlichen Schmaus!

Märzen = März *March*
das Rößlein = das Pferd *horse*
einspannen *here: to harness*
instand setzen *to overhaul, to repair*
pflügen *to plough*
eggen *to harrow*
säen *to sow*
die Hände rühren *to have your hands full*
ernten *to harvest*
das Heu *hay*
mähen *to mow*
das Getreide *wheat*
dreschen *to thresh*

	Feld	**Wiese**	**Boden**	**Heu**	**Getreide**
instand setzen					
pflügen					
ernten					
mähen					
dreschen					

Now for a chance to practise some of the language you've worked on in this dialogue. Work out your responses first if you wish.

Hören Sie den Hörabschnitt 7 und sprechen Sie in den Pausen.

Holger — Was halten Sie von Bio-Produkten?
You — *(I think that they're a good idea.)*
Holger — Warum sind Ihrer Meinung nach Bio-Produkte so beliebt?
You — *(Because many people think that they contain less harmful substances.)*
Holger — Ähm, glauben Sie, daß Bio-Produkte besser oder gesünder sind als normale Produkte?
You — *(I'm not sure.)*
Holger — Kaufen Sie Bio-Produkte?
You — *(I buy organic products occasionally, like for example, organic milk and organic bread.)*
Holger — Vielen Dank.
You — *(Thank you.)*

Environmental issues are of concern to many people in many countries. This concern is not a recent phenomenon, it started in the 1970s. In the next activity you will find out about Petra Kelly. She was one of the trail blazers of the Green movement and a founding member of the German Green Party. She brought about many of the changes in people's attitudes towards the environment that you have met in this *Thema*. She died under mysterious circumstances in 1992, shot by her long-term partner, a former general in the German army, shortly before he killed himself.

Below is Petra Kelly's personal motto.

Übersetzen Sie es jetzt ins Englische.

Petra Kellys Lebensmotto war:

Beginne dort, wo du bist, warte nicht auf bessere Umstände. Sie kommen automatisch, in dem Moment, wo du beginnst.

Lesen Sie den Text „Mit dem Herzen denken". Beantworten Sie dann die Fragen.

SPD (Sozialdemokratische Partei Deutschlands) *German Social Democrats (roughly equivalent to the Labour Party in the UK)*

die Sprecherin (-nen) *here: spokesperson*

der/die Bundestagsabgeordnete member of German parliament

die Verteidigung *defence*

Mit dem Herzen denken

Petra Kelly, Trägerin des Alternativen Nobelpreises 1982, wurde 1947 in Günzburg geboren. Mit zwölf Jahren ging sie mit ihrer Mutter und ihrem amerikanischen Stiefvater in die USA. Sie studierte in Washington, dann an der Universität von Amsterdam. 1971 arbeitete sie bei der Europäischen Gemeinschaft in Brüssel vor allem in den Bereichen Soziales, Gesundheitsschutz und Umwelt. Nach langjähriger SPD-Mitgliedschaft gründete Petra Kelly mit anderen 1979 die politische Vereinigung Die Grünen. 1980-1982 war sie Sprecherin der Grünen, seit 1983 Bundestagsabgeordnete. Sie war außerdem Vorsitzende der von ihr 1971 gegründeten Grace P. Kelly Vereinigung zur Unterstützung der Krebsforschung für Kinder und von 1989 bis zu ihrem Tode des Bundes für Soziale Verteidigung.

1. Wo wurde Petra Kelly geboren?
2. Warum ging sie nach Amerika?
3. Wo studierte sie?
4. Wer war in Brüssel ihr Arbeitgeber?
5. In welchen Bereichen arbeitete sie?
6. Warum verließ sie die SPD?
7. Was war sie 1980 bis 1982 von Beruf?
8. Von welchen Organisationen war sie Vorsitzende?

Welche Parteien gibt es in Deutschland?

Die CDU (Christlich Demokratische Union) ist die größte konservative Partei Deutschlands. Eine Besonderheit ist die zweite konservative Partei, die CSU (Christlich Soziale Union). Diese Partei gibt es nur in Bayern. CDU/CSU bilden zusammen mit der liberalen Partei F.D.P. (Freie Demokratische Partei) die Bundesregierung.

Die SPD (Sozialdemokratische Partei) hat die längste Tradition in Deutschland, sie gibt es seit 120 Jahren.

Die Grünen gibt es seit 1979. Sie sind langsam aus der Bürgerinitiativ-Bewegung gewachsen. Die Grünen bilden im Parlament eine Gemeinschaft mit Bündnis 90. Diese Gruppe kommt aus der ostdeutschen Bürgerrechtsbewegung.

Dann gibt es noch die PDS (Partei des Demokratischen Sozialismus), sie ist die Nachfolgerin der SED (Sozialistischen Einheitspartei), die die Staatspartei der DDR war. (Stand 1996)

Checkliste

By the end of *Teil 2*, you should be able to

- ○ use language to do with recycling and waste disposal (*Lerneinheit 4*, Activities 4, 5, 8 and 10)
- ○ use *das heißt* (*Lerneinheit 4*, Activity 6)
- ○ use the passive in particular phrases (*Lerneinheit 4*, Activity 7)
- ○ express percentages (*Lerneinheit 4*, Activity 9)
- ○ use *welch-* (*Lerneinheit 5*, Activity 7)
- ○ ask different types of questions (*Lerneinheit 5*, Activity 11)
- ○ use language to do with organic farming (*Lerneinheit 6*, Activities 2, 3 and 6)

Teil 3

Lebensqualität

In *Teil 3* you will consider those factors which affect the quality of people's lives. *Lerneinheit 7, Straßen und Streß*, covers problems which affect individuals, such as noise, air pollution and street violence. *Lerneinheit 8, Ein Dach überm Kopf*, looks at housing problems, the problems of the homeless and local initiatives which deal with poverty in a constructive way. In *Lerneinheit 9, Tübinger Umwelt*, you will return to Tübingen to hear how local inhabitants assess the quality of life there.

By the end of *Teil 3*, you should be able to express reactions and hopes on the subject of people's quality of life. You should also be able to compare and evaluate different situations.

Lerneinheit 7 Straßen und Streß

Lerneinheit 7 looks at a number of factors influencing quality of life, such as noise and air pollution, which are common both in Germany and in Great Britain.

There are four topics in this *Lerneinheit*. The first two are *Laute Straßen* and *Kampf den Stinkern*. *Abends Angst* explores women's fears about being attacked and other causes for anxiety. The final topic, *What are your problems?*, consolidates the issues covered in this *Lerneinheit*.

Lerneinheit 7 should enable you to understand and use vocabulary to do with noise and different sounds, practise prepositions in their contracted forms, describe what people are afraid of and ring up to complain about noise.

STUDY CHART

Topic	Activity and resource	Key points
Laute Straßen	1 **Übungskassette**	listening to comments about noisy streets
	2 **Übungskassette**	identifying words to do with noise
	3 **Text**	practising sub-clauses with *wenn*
	4 **Übungskassette**	linking sounds and words
Kampf den Stinkern	5 **Text**	reading about air pollution
Abends Angst	6 **Text**	reading about fear on the streets
	7 **Text**	writing about what frightens people
	8 **Übungskassette**	complaining about noisy streets
What are your problems?	9 **Text**	writing about comparable problems where you live

Berlin, like most cities, is noisy. Read the *Wortschatz* below, then listen to the comments in *Hörabschnitt 8* about the problem of noisy streets made by four Berliners: Frau Kossel, Herr Alker, Frau Kuhn and Herr Lohmeier.

Welche Aussage paßt zu welcher Person?

die Avus *Avus (name of a very wide ring-road in Berlin, which is occasionally closed off and used for car racing)*

die Feuerwehr *firebrigade*

die Charité *a famous hospital in Berlin*

mörderisch *hellish; literally: murderous*

die Schlafstörung (-en) *trouble getting to sleep*

1 Ich höre Autos und öffentliche Verkehrsmittel vorbeifahren.
2 Ich kann nachts nicht gut schlafen.
3 Ich muß sehr laut sprechen, wenn ich mit anderen Leuten diskutieren will.
4 Wegen des Lärms kann ich nicht im Wohnzimmer telefonieren.

2 *Jetzt hören Sie sich Hörabschnitt 8 noch einmal an, und schreiben Sie die richtigen Wörter in die Lücken. Alle haben etwas mit Lärm zu tun.*

1 Dann muß ich in meiner eigenen Wohnung ______________ ...

2 Hier ist es immer ______________ .

3 Ein Krankenwagen ______________ in die Charité.

4 Die Straßenbahn ______________ .

5 Bei offenem Fenster ist der ______________ unerträglich.

6 Zum Glück schlafe ich auch in einem ______________ Zimmer.

3 Now for some practice of a construction used to indicate when people have problems. Use *wenn* for 'whenever' and watch the word order.

Schreiben Sie die Antworten auf deutsch auf.

1 Wann findet Frau Kossel es laut? (sie hat das Fenster auf)
Wenn sie das Fenster aufhat, findet sie es laut.
2 Wann schreit sie? (sie will sich unterhalten)
3 Wann findet Herr Alker den Lärm unerträglich? (das Fenster ist offen)
4 Wann telefoniert Frau Kuhn viel? (sie ist zu Hause)
5 Wann hat Herr Lohmeier Schlafstörungen? (der Lärm ist mörderisch)

4 Now listen to *Hörabschnitt 9*. See if you can link the words in the list on the left to the noisy verbs on the right.

Welches Wort paßt zu welchem Geräusch?

1 Bremsen — a heulen
2 Sirenen — b quietschen
3 U-Bahnen — c knallen
4 Autotüren — d hupen
5 Motoren — e klingeln
6 Straßenbahnen — f dröhnen
7 Autos — g rattern
8 Lkws — h aufheulen

5

Noise is not the only environmental problem in towns. Children become aware of the dangers of air pollution at an early age.

Read the account below describing how children tried to make drivers more environmentally aware.

Kreuzen Sie bitte an. Korrigieren Sie die falschen Sätze.

der Bahnübergang (¨-e) *level-crossing*
den Motor abstellen *to turn off the ignition*
die Schranke (-n) *barrier*
sich bücken *to bend down*
ausschalten *to switch off*
im Leerlauf *when the engine is idling*
entweichen *to escape*
krebserregend *carcinogenic*
der Mitverursacher (-) *one of the causes*
der saure Regen *acid rain*
die Genehmigung (-en) *official approval*
der Mut *courage*
der Gleichgesinnte (-n) *like-minded person*

Kampf den Stinkern

Kinder fordern Autofahrer auf, vor Bahnübergang den Motor abzustellen

Der 13jährige Robert Penz geht ganz ruhig auf das vor den Schranken stehende Auto zu. Er bückt sich auf der Fahrerseite kurz runter und sagt: „Entschuldigen Sie bitte, Sie haben vergessen, Ihren Motor auszuschalten." Der am Steuer sitzende Mann blickt irritiert auf, schaltet dann aber seinen Wagen aus.

Robert und das Greenteam „Koala" aus Henstedt haben viele gute Argumente für ihre Aktion. Denn besonders die im Leerlauf entweichenden Abgase sind schädlich, sie wirken krebserregend und sind Mitverursacher des sauren Regens. Das Greenteam hatte auch Plakate aufgestellt und Flugblätter verteilt.

Daniel zählte die Anzahl der Umweltsünder vor und nach der Aktion und meint: „Der Anteil der Autofahrer, die jetzt den Motor abstellen, hat sich von 50 auf 80 Prozent gesteigert."

Rezept: Um Leute auf der Straße anzusprechen, bedarf es keiner Genehmigung, aber Mut. Mut findet man nicht in der Apotheke, sondern wirklich nur mit Hilfe Gleichgesinnter.

		RICHTIG	FALSCH
1	Robert Penz ist dreißig Jahre alt.	❑	❑
2	Robert spricht mit einem Autofahrer.	❑	❑
3	Es ist gut, den Motor nicht auszuschalten.	❑	❑
4	Die Autoabgase haben nichts mit saurem Regen zu tun.	❑	❑
5	Das „Greenteam" hatte Platten aufgestellt.	❑	❑
6	Nach der Aktion ist der Anteil der Umweltsünder gestiegen.	❑	❑
7	Mut findet man mit Hilfe anderer umweltfreundlicher Leute.	❑	❑

die Vergewaltigung (-en) *rape*
der Überfall (¨-e) *attack*

Problems on city streets are not confined to noise and pollution. Many people do not feel safe walking on the streets late at night. Here is what one woman said.

Lesen Sie den Artikel und beantworten Sie die Fragen.

Abends auf der Straße habe ich Angst

Frau Pape:

Nach der Kneipe oder dem Kino allein mit dem Bus nach Hause fahren und dann noch im Dunkeln zu Fuß weitergehen? Nein, das mache ich nicht. Dazu habe ich viel zu viel Angst. Ich fahre entweder mit dem Taxi oder lasse mich nach Hause bringen. Als Frau in der Großstadt fühle ich mich nicht sicher, man liest und hört zu viel über Vergewaltigungen und Überfälle. Neulich habe ich gelesen, daß 75% aller Frauen heutzutage abends im Dunkeln auf der Straße Angst haben. Die Straßen müssen wieder sicherer werden, so daß auch Frauen sich ohne Angst in der Stadt bewegen können.

Allerdings muß ich sagen, daß die Stadt das Problem schon erkannt hat und versucht, etwas zu ändern. Z.B. kann man jetzt vom Bus aus ein Taxi zu der Haltesstelle bestellen, an der man aussteigen will. Das finde ich gut. Da fühle ich mich sicherer.

1. Warum fährt Frau Pape nachts nicht allein mit dem Bus nach Hause?
2. Wie löst sie ihr Problem?
3. Worüber liest und hört Frau Pape viel?
4. Wieviel Prozent aller Frauen haben, nach Aussage von Frau Pape, im Dunkeln Angst auf der Straße?
5. Was fordert sie?
6. Wie versucht die Stadt, das Problem zu lösen?

7

Now practise writing about what frightens people, following the example given.

Schreiben Sie bitte die Sätze.

1. Wovor hat sie Angst?
   Frau Pape – Vergewaltigung.
   Frau Pape hat Angst vor Vergewaltigung.
2. Wovor hat sie Angst?
   Frau Pape – Überfälle
3. Wovor hat er Angst?
   Herr Müller – Arbeitslosigkeit
4. Wovor hat sie Angst?
   Frau Sander – steigende Mietpreise

5 Wovor hat er Angst?
Herr Fritz – Mäuse

6 Wovor hat sie Angst?
Frau Steiner – das Autofahren

8

Now complain about the noise in your street using *Hörabschnitt 10.* In this dialogue you phone the local town hall and try to get through to the person who deals with traffic and street planning.

Hören Sie den Hörabschnitt 10 und sprechen Sie in den Pausen.

Zentrale	Rathaus Kreuzberg. Guten Tag.
Sie	*(I'd like to complain about street noise.)*
Zentrale	Moment, ich stelle durch zu der zuständigen Sachbearbeiterin.
Sie	*(Thank you.)*
Beamtin	Munnemann. Guten Tag.
Sie	*(I want to complain about the noise in my street.)*
Beamtin	Und wo genau wohnen Sie?
Sie	*(Heerstraße 232.)*
Beamtin	Und worin liegt Ihr Problem?
Sie	*(Lorries and ambulances drive by day and night and that's very noisy.)*
Beamtin	Ja, da kann ich momentan nichts weiter machen.
Sie	*(Why not?)*
Beamtin	Weil die Reichsstraße im Moment gesperrt ist. Deshalb geht der ganze Verkehr durch die Heerstraße. Tut mir leid.
Sie	*(And how long will the Reichsstraße be blocked off?)*
Beamtin	Mindestens noch sechs Monate.
Sie	*(This is really impossible. I shall complain to the mayor. Goodbye.)*
Beamtin	'Wiederhören.

In the last few activities you have looked at problems to do with air and noise pollution, and you have read one woman's fears about street violence. Now write a letter to tell your German friend, Anita, about the problems you have where you live. Cover some of the topics listed below and ask whether there are similar problems in Anita's town.

Schreiben Sie einen Brief (etwa 100 Wörter).

1 Verkehrslärm
2 Luftverschmutzung
3 Gefahr auf den Straßen
4 Gibt es solche Probleme auch in Anitas Stadt?

Lerneinheit 8 Ein Dach überm Kopf

In *Lerneinheit 8* you will look at the problems of high rents, life on the streets and homelessness. There are three topics: *High rents*, which discusses the problems of a family unable to afford a better flat, *Straßenleben*, with an extract from a German equivalent of *The Big Issue*, and *A Hamburg initiative*, with an account of a scheme to give food, which would otherwise be discarded, to the poor.

Lerneinheit 8 gives you the opportunity to practise expressing hope and to formulate different kinds of questions.

STUDY CHART

Topic	Activity and resource	Key points
High rents	**1 Text**	reading an article about high rents
	2 Text	practising *hoffen* plus *zu* and the infinitive
	3 Text	revising vocabulary to do with housing
Straßenleben	**4 Text**	reading an article about life on the streets
	5 Text	practising different forms of questions
A Hamburg initiative	**6–7 Text**	reading about efforts to help the homeless
	8 Text	translating sentences about people's reactions
	9 Text	doing a word puzzle
	10 *Übungskassette*	chairing a discussion

In the 1990s an increasing number of Germans have had trouble making ends meet. Below is an extract from an article about the problem of high rents.

Lesen Sie den Artikel und beantworten Sie die folgenden Fragen auf deutsch.

Die Mieten sind einfach zu hoch

Melitta Behrens, 32 Jahre alt, aus München, lebt mit ihrer achtjährigen Tochter und ihrem Mann in einer engen Wohnung. Frau Behrens ist schwanger mit ihrem zweiten Kind, aber eine größere Wohnung kann sich die Familie nicht leisten.

„Wir brauchen wirklich eine größere Wohnung, aber die können wir einfach nicht bezahlen, obwohl wir nicht schlecht verdienen. Wir haben zu dritt ungefähr 55 Quadratmeter, die Wohnung hat einen großen Flur, eine Küche und ein Kinderzimmer wie ein Schlauch. Die Wohnung platzt aus allen Nähten. Und wenn erstmal das Baby da ist, dann weiß ich wirklich nicht, wie wir in dieser Wohnung zu viert leben sollen. Die Mieten sind doch der blanke Wahnsinn hier in München! Wer kann denn schon 2 500 Mark für eine Drei-Zimmer-Wohnung bezahlen? Wir brauchen dringend mehr bezahlbare Wohnungen und auch Wohnungen, in denen Kinder genügend Platz haben.“

der Schlauch (¨-e) *hose-pipe (the room is really narrow)*	**platzen** *to burst* **die Naht (¨-e)** *seam*	**blank** *here: utter* **der Wahnsinn** *madness*

1 Wo wohnt Frau Behrens?
2 Beschreiben Sie ihre jetzige Wohnung.
3 Warum braucht die Familie eine größere Wohnung?
4 Was ist das Problem mit größeren Wohnungen?
5 Was sagt Frau Behrens über ihre Wohnungssituation?

2

In the article quoted on page 54, Frau Behrens talks about her hopes for the future. Now it's your turn to practise expressing hope. Begin your sentences with *sie* or *er hofft*. Note that with this construction *hoffen* is followed by *zu* and the infinitive, which go to the end of the sentence.

Schreiben Sie diese Sätze.

1 endlich eine größere Wohnung bekommen
Sie hofft, endlich eine größere Wohnung zu bekommen.
2 eine bezahlbare Wohnung finden
3 in eine größere Wohnung umziehen
4 eine niedrige Miete zahlen
5 ausreichend Platz haben

3

In Activities 1 and 2 in this *Lerneinheit* there have been quite a few words relating to housing. Earlier activities have also dealt with where you live. Do this quick activity to see whether you can spot the odd one out in each of these groups of words, all of which relate to the topic of housing and people.

Welches Wort paßt nicht?

1 billig teuer warm unbezahlbar
2 Wohnung Haus Wohnzimmer Appartement
3 Flur Badezimmer Küche Wohnung
4 Mark Schilling Marke Pfund
5 Großvater Kind Teenager Baby

4

The first two activities of *Lerneinheit 8* looked at the problems facing people who have somewhere to live, but not enough space. Now you will have the opportunity to read about how the homeless see life. *motz & co* is one of a growing number of newspapers produced in German cities to help homeless people and which are sold by them, rather like *The Big Issue* in Great Britain. The vendor keeps part of the money from every sale for her- or himself.

verwenden *to use*

die Zahnpflege *dental care*

wenden *to turn*

die Kiste (-n) *box; here: coffin*

die Spende (-n) *donation*

die Altersversorgung *old-age pension*

steuerlich absetzbar *tax-deductible*

abziehen *colloquial: to make yourself scarce, to deduct (money)*

zerrissen *torn*

Read the article *Straßenleben*, then work out which statement on page 57 corresponds to each of the nine satirical comments in the original.

Welche Aussage paßt?

straßenleben

eingefangen von Straßenverkäufern

SO SPAREN SIE BARES GELD!
Tips von Experten

1. Stromkosten: Kerzen verwenden!
2. Tageszeitungen: Lesen Sie die von gestern. Zu finden in jeder Mülltonne.
3. Wassergeld: Spree, Havel und jeder Kanal.
4. Zahnpflege: Nicht notwendig. Alle Zähne ziehen lassen.
5. Fahrkosten: Laufen ist sehr gesund.
6. Miete: Nicht notwendig ohne Wohnung.
7. Heizkosten: In die Sonne stellen, Wärme tanken.
8. Bekleidung: Alle zwei bis drei Tage wenden.
9. Sparen TOTAL: Ab in die Kiste.

WICHTIGE ANMERKUNG: BEI PUNKT 9 IST DIE SPENDE IHRER ALTERSVERSORGUNG AN DEN STAAT NICHT STEUERLICH ABSETZBAR!

VERRECHNET
„Warum geben Sie mir mein Wechselgeld nicht zurück?" fragt ziemlich böse ein motz-Käufer den obdachlosen Zeitungsverkäufer. – „Entschuldigen Sie", antwortet der, „Sie gaben mir 50 Mark und sagten ausdrücklich, ich solle abziehen".

ANGEBER
Mein Großvater ist vor vierzig Jahren mit nichts außer einem zerrissenen Hemd nach Amerika ausgewandert. Heute hat er fünf Millionen! – Was will er denn mit so vielen kaputten Hemden?

Leute auf der Straße lachen mehr als man glaubt. Der Humor ist derb und ungemein lebenswichtig. Zille-Kalle – Kreation des jungen Comic-Zeichners Markus – wird den Berliner Straßenhumor präsentieren.

a Sie können bei Kerzenlicht essen.
b Sie können im Kanal baden.
c Sie können draußen schlafen.
d Sie können interessante Nachrichten in alten Zeitungen finden.
e Sie können mit wenigen Kleidungsstücken auskommen.
f Sie können ohne Zähne herumlaufen.
g Sie können Selbstmord begehen.
h Sie können sich sonnen.
i Sie können überall zu Fuß hingehen.

German humour may not be immediately obvious to the foreign-language student. The three words *randständig, abwegig, unbedacht* above the title of the newspaper on page 48 are very difficult to translate, because they have a number of connotations for the native speaker. *Randständig* literally means 'standing at the margin or edge', but it sounds similar to *anständig* (respectable). *Abwegig* means 'off the beaten track', but it can also mean 'devious', and *unbedacht* can mean either 'not thought out' (when based on the verb *denken*), or 'unroofed', or 'without a roof over your head' (from the noun *Dach*).

Read the two jokes in the article on page 56. In *verrechnet* there is a play on the verb *abziehen*. The *motz* newspaper seller is about to make off with the DM 50, rather than give the customer his change.

You have already come across some question words in this *Thema*. Here's another opportunity to practise them.

Welches Fragewort paßt?

1 ____________ soll ich verwenden? Kerzen.

2 ____________ Zeitung kann ich lesen? Die von gestern.

3 ____________ soll ich mich waschen? In der Spree oder in der Havel.

4 ____________ soll ich meine Zähne pflegen? Gar nicht.

5 ____________ soll ich laufen? Laufen ist sehr gesund.

6 ____________ ____________ soll ich meine Kleidung wechseln? Sie können sie alle zwei Tage wenden.

This article describes an initiative to help the homeless in Hamburg.

Lesen Sie den Artikel „Gedeckter Tisch für Arme" und beantworten Sie die Fragen.

hochwertig *high-quality*

der Mißstand (¨-e) *deplorable state of affairs*

die Großmarkthalle (-n) *wholesale market*

die Einrichtung (-en) *here: institution/organisation*

verteilen *to distribute*

Nahrungsmittel = Lebensmittel *food*

die Heilsarmee *Salvation Army*

verpflegen *to feed*

Gedeckter Tisch für Arme

Täglich werfen Hotels massenweise hochwertige Lebensmittel weg, während gleichzeitig Menschen hungern. Private Initiativen wollen diesen Mißstand nicht länger tolerieren: Die „Hamburger Tafel" gibt Lebensmittel an Suppenküchen.

Wenn in der Hamburger Großmarkthalle der Handel gelaufen ist, landet übrig gebliebenes Obst und Gemüse auf dem Müll. Das soll sich jetzt ändern. Die Privatinitiative „Hamburger Tafel" will die Ware an soziale Einrichtungen verteilen, damit die Nahrungsmittel nicht im Müll, sondern in leeren Mägen landen.

„Es ist ein Skandal, daß viele Menschen hungern, während gleichzeitig 20 Prozent aller Lebensmittel weggeworfen werden", erklärt Annemarie Dose. Sie rief die „Hamburger Tafel" ins Leben. In der Hansestadt kommt diese Idee gut an. Eine Zeitung spendete den Lieferwagen, und Bäckereien und Hotels machen mit.

Viktor Hugo gehört zu den Gründungsmitgliedern der „Hamburger Tafel". Selbst arbeitslos hat er gerade viel Zeit, die er sinnvoll nutzen will. Über 6 000 Obdachlose gibt es in Hamburg, sagt die Sozialbehörde. Allein die Heilsarmee verpflegt über 22 000 Menschen pro Jahr. Der Kapitän der Heilsarmee will im Winter sogar mit einer mobilen Küche unter die Brücken gehen. Die rund 100 Obdachlosen in der Suppenküche sind begeistert.

1 Was werfen Hotels jeden Tag weg?
2 Was ist die „Hamburger Tafel“?
3 Was macht die „Hamburger Tafel“?
4 Was passiert mit übrig gebliebenem Obst und Gemüse von der Großmarkthalle?
5 Wieviel Prozent aller Lebensmittel werden weggeworfen?
6 Warum arbeitet Herr Hugo bei der „Hamburger Tafel“ mit?
7 Wie viele Obdachlose gibt es in Hamburg?
8 Was will die Heilsarmee im Winter machen?

7

Now match up the two halves of the sentences to form a summary of the article.

Welche Satzhälften passen zusammen?

1	Die Privatinitiative will die Ware an soziale Einrichtungen verteilen,	a	daß viele Menschen hungern.
2	Es ist ein Skandal,	b	während Menschen hungern.
3	Täglich werfen Hotels Lebensmittel weg,	c	die er sinnvoll nutzen will.
4	Viktor Hugo hat Zeit,	d	damit die Nahrungsmittel in leeren Mägen landen.

8

Now for some practice of words which describe reactions. Here are some phrases from the article:

Sie wollen das nicht länger tolerieren.	*They don't want to put up with it any more.*
Es ist ein Skandal.	*It's a scandal.*
Diese Idee kommt gut bei jemandem an.	*This idea goes down well/is popular (with somebody).*
Sie sind davon begeistert.	*They're really enthusiastic about it.*

Wie drückt man die folgenden Ideen auf deutsch aus?

1 Homelessness in big cities is a scandal.
2 Soup kitchens are popular with the homeless.
3 The hotels are really enthusiastic about the idea.
4 People do not want to accept the situation any more.

In the article Hamburg is referred to as a *Hansestadt*. This is a reference to the city's seafaring past, when it was part of the Hanseatic League – a group of towns along the North Sea and Baltic Sea coast which joined together in the Middle Ages for purposes of trade and defence.

The car registration letters for Hamburg are HH – Hansestadt Hamburg, just as the registration letters for Rostock are HRO – Hansestadt Rostock.

In the article *'Gedeckter Tisch für Arme'* you learnt some new vocabulary to do with the poverty trap. Find ten words using the clues provided (many of the words are in the article itself). If you write down the first letter of each word, you should have the name of an organisation which helps the poor.

Machen Sie das Rätsel.

1 Eine Großstadt in Norddeutschland. ___

2 Man soll dreimal am Tag ______________ . ___

3 Gruppe, die etwas Konstruktives macht; eine gute, neue Idee. ___

4 Käse, Brot, Kekse, Butter und Wurst sind ______________ . ___

5 Gut für Obdachlose, die Hunger haben; man kann hier essen und trinken. ___

6 Leute ohne viel Geld sind ______________ . ___

7 Ein Millionär ist ______________ . ___

8 Etwas, was man wegwirft. ___

9 Organisationen oder Gruppen, die etwas für die Gesellschaft tun; die „Hamburger Tafel" gibt Lebensmittel an sie. ___

10 Etwas klar machen; etwas deutlich machen. ___

In *Hörabschnitt 11* you will chair a radio discussion with a member of the 'Hamburger Tafel' initiative, Frau Adolf, and an official from the *Sozialamt*, Herr Blumenberg.

Zuerst lesen Sie die Diskussion, dann sprechen Sie.

Frau Adolf ... und ich bin Mitglied der „Hamburger Tafel".

Sie (How long has the 'Hamburger Tafel' been in existence?)

Frau Adolf Also, wir arbeiten jetzt schon seit etwa einem Jahr hier in Hamburg.

Sie (And why did you start this initiative?)

Frau Adolf Wir fanden, daß es ein Skandal war, daß all diese guten Lebensmittel einfach im Müll landeten, während auf der anderen Seite Menschen hungerten.

Sie (Herr Blumenberg, don't the social services – das Sozialamt – *look after the homeless?)*

Herr Blumenberg Doch, natürlich. Aber das Problem wächst uns, wie in fast allen Großstädten, über den Kopf.

Sie (Frau Adolf, shouldn't the government – der Staat – *do more?)*

Frau Adolf Ja, natürlich. Aber jeder Einzelne sollte auch versuchen zu helfen! Man kann sich nicht immer nur beschweren und zu Hause sitzen und nichts tun.

Sie (I'd like to know what you do at the 'Hamburger Tafel'.)

Frau Adolf Also, wir sammeln, ähm, Lebensmittel, die nicht mehr verkauft werden, und leiten sie weiter an verschiedene Suppenküchen.

Sie (And how do you finance this?)

Frau Adolf Wir kriegen Spenden usw., z.B. unsere Lieferwagen werden uns von einer Firma zur Verfügung gestellt.

Sie (Herr Blumenberg, what do you think about private initiatives like this?)

Herr Blumenberg Alles, was die angespannte Situation verbessert, ist gut. Wir befinden uns in einer angespannten Haushaltslage und müssen alle …

Lerneinheit 9 Tübinger Umwelt

In the final *Lerneinheit* in *Teil 3* you will be hearing people from Tübingen talking about their town and its problems. You will also be introduced to the German artist and environmental campaigner, Joseph Beuys. The topics are: *Too little money*, *Too many students* and *Joseph Beuys: who was he?*.

By the end of *Lerneinheit 9*, you will have had practice in writing and talking about problems which affect your quality of life, and in expressing agreement or disagreement.

STUDY CHART

Topic	Activity and resource	Key points
Too little money	**1 Video**	watching a video about current problems in Tübingen
Too many students	**2–3 Video**	watching a video about the impact of the student population in Tübingen
	4 Video	correcting statements from the video
Joseph Beuys: who was he?	**5 Text**	reading about Joseph Beuys
	6 Text	practising using *für* and *gegen*
	7 Text	practising verbs with *für*

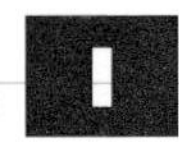

09:32–10:58

Watch the last part of the video for this *Thema* and see how Dr. Setzler, Rudolf Kost and Ilona Bitzer rate life in Tübingen today.

Sehen Sie sich das Video an und beantworten Sie die Fragen auf englisch.

1 What does Dr. Setzler think the main problem is in Tübingen?
2 When does Herr Kost say the problem became worse?
3 Why does Frau Bitzer say they are lowering standards?

Bild links: Rudolf Kost ist Rentner, und sein Hobby ist die Stadtgeschichte Tübingens. Er wurde in Tübingen geboren, wo seine Familie seit Jahrhunderten gelebt hat.

Bild rechts: Ilona Bitzer ist seit 1992 Standesbeamtin beim Standesamt Tübingen – ihre erste Stelle seit Beendigung ihrer Ausbildung. Ihre Hobbys sind Jazztanz, Lesen und Reisen.

10:58–12:31

Now listen to Rudolf Kost, Walter Utz and Günter Leypoldt talking about Tübingen and decide whether these statements are true or false.

Kreuzen Sie die richtige Antwort an.

		RICHTIG	FALSCH
1	Seit dem Krieg ist Tübingen größer geworden.	❑	❑
2	Das Leben in Tübingen ist schöner geworden.	❑	❑
3	Die Uni ist nicht viel größer geworden.	❑	❑
4	Die Stadt hat etwa 20 000 Einwohner.	❑	❑
5	Jeder vierte Tübinger ist Student.	❑	❑
6	Die meisten Studenten pendeln.	❑	❑
7	Parken ist kein Problem in Tübingen.	❑	❑

Bild links: Walter Utz ist Rentner. Er wohnt in Tübingen, wo er viel Zeit mit seinen Freunden verbringt.

Bild rechts: Günter Leypoldt ist Germanistik- und Anglistik-Student an der Tübinger Universität, wo er auch einen Teilzeit-Job hat.

12:32–14:14

Now listen to what Alice Kurz and Rudolf Dobler have to say.

Wer spricht von was? Kreuzen Sie auf Seite 64 an.

Bild links: Alice Kurz ist Studentin. Sie kommt aus dem Nordschwarzwald.

Bild rechts: Rudolf Dobler ist in Tübingen geboren. Früher war sein größtes Hobby Segelfliegen. Er geht sehr gern wandern.

	Wer spricht von	**Alice Kurz**	**Rudolf Dobler**
1	der Schulzeit?	❑	❑
2	Problemen durch Studenten?	❑	❑
3	Parkplatzgebühren?	❑	❑
4	den neuen Stadtteilen?	❑	❑

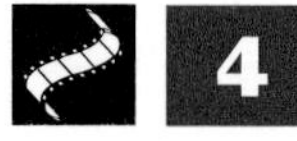

09:32–14:14

One word in each of these sentences is wrong. Watch the video and correct the words which are wrong. You may find that you can do the activity without watching the video again!

Lesen Sie genau und schreiben Sie das richtige Wort.

1. Die Stadt hat wenig Geld, die Stadt hat keine Initiativen.
2. Tübingen war noch nie reich, aber in den letzten fünf Jahren ist es ganz dumm geworden.
3. Nun werden viele Dinge, die man früher gemacht hat, aufgegessen.
4. Man versucht eben, den Standard zu renovieren.
5. Das Leben in Tübingen, aber natürlich auch in Dänemark ganz allgemein, ist doch bequemer, besser, schöner geworden.
6. Die Stadt hat achtzigtausend Erfinder.
7. Deshalb bricht ab neun Uhr abends der Verkehr zusammen.
8. Es gibt so viele Studenten in Tübingen, und sie bekommen nicht alle ein Zimmer außerhalb der Stadt.
9. Die Neubaugebiete mußten auf die Höhle ziehen.

Now read about the artist and environmental activist Joseph Beuys. He was a man who was not content to let events take their own course – he was particularly keen to improve society and make it a more pleasant place for people to live in the future.

It is difficult to know how to classify Beuys. On page 65 there are three different pieces of evidence. The first is from a review of an exhibition which included Beuys' work, when one art critic asked a number of forthright questions. The second is an encyclopaedia entry, and the third, an extract from an interview of 1970.

Lesen Sie bitte die Texte auf Seite 65 und beantworten Sie die Fragen.

herkömmlich *traditional*

die Kunstauffassung (-en) *concept/interpretation of art*

sprengen *to explode*

Wer war nun Joseph Beuys, der 1986 zu früh verstarb?

War er ein Scharlatan, Guru, Magier, Priester, Messias, Philosoph, Professor? Oder ein Künstler, der die Dimensionen herkömmlicher Kunstauffassung durch seinen neuen Kunstbegriff sprengte?

die Bildhauerei *sculpture*

der freischaffende Künstler (-) *freelance, independent artist*

das Atelier (-s) *artist's studio*

gestalten *to give artistic form to something*

der Filz *felt*

die Volksabstimmung (-en) *referendum*

der Rechtsstaat (-en) *state under the rule of law*

die Befreiung (-en) *liberation*

das Flugblatt (¨-er) *leaflet, flier*

Joseph Beuys (1921 Krefeld – 1986 Düsseldorf) war Professor für Bildhauerei an der Staatlichen Kunstakademie in Düsseldorf und freischaffender Künstler. Viele seiner Arbeiten sind keine Atelierkunst, sondern gingen aus Aktionen mit Einzelpersonen, sozialen Gruppen oder Institutionen hervor. Er wollte mit seinen künstlerischen Experimenten zeigen, wie man die Situation verändern kann. Er machte Environments, d.h. er gestaltete Räume, wo er ungewöhnliche Sachen wie eine Axt, ein Klavier, Lautsprecher und Tafeln zusammenstellte. Er arbeitete auch mit ungewöhnlichen Materialien (z.B. mit Fett, Filz und Gelatine). Mit diesen Mitteln wollte Beuys die Menschen schockieren und alle ihre Sinne aktivieren. Beuys war auch politisch aktiv. 1971 gründete er eine „Organisation für direkte Demokratie durch Volksabstimmung (freie Volksinitiative e.V.)", und später kandidierte er für Die Grünen.

Interviewer *Woran arbeiten Sie zur Zeit?*

Beuys Ich mache künstlerisch im Augenblick gar nichts. Ich gebe an der Akademie meinen 200 Studenten Unterricht und betätige mich politisch.

Interviewer *Parteipolitisch?*

Beuys Nein, ich bin für eine neue Methode. Anarchismus ist die einzig mögliche Form des Rechtsstaats. Ich bin gegen Privat- und Staatskapitalismus, ich bin für einen freien demokratischen Sozialismus. Meine Kunst ist Befreiungspolitik. Wir drucken Flugblätter gegen alle Parteien.

Interviewer *Sind Sie Marxist?*

Beuys Marx ist für mich ein großes Fragezeichen, und sein langer Bart ist der Punkt unter dem Fragezeichen.

1. Wo ist Beuys geboren?
2. Wo arbeitete er?
3. Was wollte er mit seinen künstlerischen Experimenten zeigen?
4. Welche ungewöhnlichen Dinge stellte er in seinen Environments zusammen?
5. Warum arbeitete er mit ungewöhnlichen Materialien?
6. Was bedeutet Marx für Beuys?

6

Now read the article and interview again and write out sentences saying whether Beuys is for or against these ideas.

Ist Beuys dafür oder dagegen?

1. Eine Veränderung der Situation.
   Beuys ist für eine Veränderung der Situation.
2. ungewöhnliche Zusammenstellungen
3. eine Isolierung der Kunst
4. die Aktivierung aller Leute
5. den Kapitalismus
6. alle Parteien

One area where German differs from English is in the use of prepositions. Germans say, for example, *sich interessieren* ***für*** and *sich engagieren* ***für***, whereas the English equivalents are 'to be interested **in**' or 'to be committed **to**' something. Answer these questions – and remember to change the reflexive pronouns where necessary.

Schreiben Sie bitte die Antworten.

1. Wofür interessierte sich Beuys? (die Kunst)
   Beuys interessierte sich für die Kunst.
2. Wofür engagierte sich Beuys? (die Umwelt)
3. Wofür kandidierte Beuys? (die Grünen)
4. Wofür plädierte Beuys? (neue Methoden in der Kunst)

Checkliste

By the end of *Teil 3* you should be able to

- ○ understand people talking and writing about how they perceive the quality of their lives (*Lerneinheit 7*, Activities 1 and 6; *Lerneinheit 8*, Activity 1; *Lerneinheit 9*, Activities 1–3)
- ○ say what people are frightened of (*Lerneinheit 7*, Activity 7)
- ○ complain about local problems (*Lerneinheit 7*, Activity 8)
- ○ express hopes (*Lerneinheit 8*, Activity 2)
- ○ ask different kinds of questions (*Lerneinheit 8*, Activity 5)
- ○ conduct an interview in German (*Lerneinheit 8*, Activity 10)

Teil 4

Wiederholung

In *Teil 4* you will revise what you have learned in *Thema 7*. If you have problems with any of the constructions used, refer to the *Checkliste* at the end of each *Teil* if you need to look up a particular point.

There are two *Lerneinheiten* in *Teil 4*. *Lerneinheit 10, Stadt und Land,* explores some of the differences between town and country, drawing on the examples of Tübingen and Leipzig. *Lerneinheit 11, Recycling,* revisits the topic covered earlier.

Lerneinheit 10 Stadt und Land

There are two topics in *Lerneinheit 10*. The first one is: *Tübingen: top town*. This contains details of Tübingen's success in a study comparing the quality of life in cities and towns all over Germany. Tübingen came first, beating nearly 550 other towns when rated according to various criteria. The second topic, *Town and country*, involves making comparisons between the two.

By the end of *Lerneinheit 10*, you will have revised making comparisons, weighing up advantages and disadvantages, the use of prepositions, asking questions, the correct use of *obwohl* and *wenn*, and summary writing.

STUDY CHART

Topic	Activity and resource	Key points
Tübingen: top town	**1 Text**	reading about Tübingen
	2 Text	comparing Tübingen with Leipzig
Town and country	**3–4 Text**	identifying features of town and country
	5 *Übungskassette*	talking about village life
	6 *Übungskassette*	revising the use of prepositions
	7 Text	revising question words
	8 *Übungskassette*	discussing advantages and disadvantages
	9 Text	revising *obwohl* and *wenn*
	10 Text	summarising the differences between town and country

Read this extract from the article *'Wo Sie am besten leben'* and then answer the questions below.

Lesen Sie den Artikel und beantworten Sie die Fragen.

der Wohlstand *wealth*

der Schwund *decline, decrease*

das Gremium (Gremien) *body*

der Industrieschlot (-e) = Schornstein

flanieren *to stroll*

die Versorgung *provision of services*

die Beratungsstelle (-n) *citizens' advice bureau*

Wo Sie am besten leben

Erster gesamtdeutscher Vergleich der Lebensqualität: Forscher analysieren Umwelt, Gesundheit, Wohlstand, Versorgung, Sicherheit und Kultur in allen Städten und Landkreisen – Defizite in den neuen Bundesländern.

Rang 1: Tübingen

Beste Lebensqualität in Deutschland laut einer neuen Studie: Top-Werte für Gesundheit, Kultur und Versorgung. Nachteil: Hohe Mieten führten bereits zu Einwohnerschwund.

Rang 543: Angermünde

Letzter Platz im Lebensqualität-Atlas. Gründe: Hohe Arbeitslosigkeit und Kriminalitätsrate sowie viele Verkehrsunfälle. Pluspunkt: Intakte Natur.

„Tübingen ist ausgesprochen attraktiv – nicht nur für Touristen," erzählt die erste Bürgermeisterin Gabriele Steffen. Im Februar 1994 ist Tübingen von einem internationalen Gremium als „besonders lebenswerte Stadt" ausgezeichnet worden.

Kein Industrieschlot verdüstert den Himmel, und keine Stadtautobahn durchschneidet die City. Statt dessen flanieren die ungewöhnlich vielen jungen Bewohner der Universitätsstadt über den historischen Marktplatz, radeln umweltbewußt durch den botanischen Garten oder besuchen die aktuelle Egon-Schiele-Ausstellung in der Kunsthalle.

Für diese Studie wurde Versorgung errechnet aus der Anzahl der Kindergarten- und Altenheimplätze, Zahl der Ärzte und Krankenhäuser und der Anzahl verschiedener Beratungsstellen.

1. Welche sechs Kriterien haben die Forscher benutzt, um die Lebensqualität in Deutschland zu analysieren?
2. Als was ist Tübingen ausgezeichnet worden?
3. In welchen Bereichen hat Tübingen sehr gute Werte erreicht?
4. Was ist, laut dieser Studie, der größte Nachteil in Tübingen?
5. Nennen Sie zwei Vorteile Tübingens.

2 Now compare the quality of life in the two towns featured in the *Auftakt* video – Tübingen and Leipzig.

Lesen Sie die statistischen Angaben und schreiben Sie Sätze mit „höher als“, „niedriger als“, „mehr als“, und „weniger als“.

DIE AUSWERTUNG

Rang	Stadt/Landkreis	Umwelt	Wohlstand	Kultur	Sicherheit	Versorgung	Gesundheit	Gesamtpunkte
1	**Tübingen**	613	867	920	660	783	1000	**807**
2	**Bonn**	600	900	1000	820	900	614	**806**
3	**Münster (Westfalen)**	550	867	980	640	900	857	**799**
4	**Ludwigsburg**	500	1000	900	860	633	886	**797**
5	**Esslingen**	550	1000	920	800	633	871	**796**
182	**Kelheim**	625	833	380	640	367	743	**598**
	Leipzig (Stadt)	463	450	960	400	933	371	**596**
183	**Ludwigshafen/Rh. (Stadt)**	525	833	500	380	750	586	**596**
	Saarpfalz-Kreis	488	633	620	740	567	529	**596**

1 Tübingen – Leipzig – Gesamtpunkte.
Tübingen hat mehr Gesamtpunkte als Leipzig bekommen.
2 Lebensqualität in Leipzig – Lebensqualität in Tübingen
Die Lebensqualität in Leipzig ist niedriger als die Lebensqualität in Tübingen.
3 Leipzig – Tübingen – Umweltpunkte
4 Leipzig – Tübingen – Kulturpunkte
5 Wohlstand in Leipzig – Wohlstand in Tübingen
6 Lebensqualität in Tübingen – Lebensqualität in Leipzig
7 Tübingen – Leipzig – Gesundheitspunkte
8 Tübingen – Leipzig – Umweltprobleme
9 Tübingen – Leipzig – Sicherheitspunkte

3 Now that you have compared Tübingen and Leipzig and their ratings in the quality of life survey, think about rural areas and how they compare to towns. Study the list of words below and decide which belong to rural areas, and which to urban ones.

Füllen Sie die Tabelle auf Seite 71 aus!

1 die Abgase
2 das Ackerland
3 die Fabriken
4 die Blechlawine
5 das Gewerbe
6 die Bauernhöfe
7 der Obdachlose
8 die Parkplätze
9 die Viehherde
10 die Wiesen
11 die Luftverschmutzung

In der Stadt	Auf dem Land

4

Now, summarise the information in the table in Activity 3, using the following constructions:

- *im Gegensatz zu*
- *mehr als*
- *weniger als*
- *nicht nur … sondern auch …*

One construction in each sentence will do!

z.B. Im Gegensatz zum Land gibt es in der Stadt mehr Gewerbe.

Schreiben Sie nun eine Zusammenfassung.

5

Although places change, life in a village is still distinctly different from life in a town or city.

Hören Sie den Hörabschnitt 12 und beantworten Sie auf englisch die Fragen!

die Gemeinschaft (-en) *community*
das Gemeinschaftsgefühl *community spirit*
das Jahrzehnt (-e) *decade*
der Straßenbau *building of roads*

1. What is stronger in a village than in a town, according to Herr Melius?
2. How has village life changed over the last few years?
3. What does village life mean for him?
4. Where can you meet village people regularly?
5. What does Herr Melius say about the building of roads in the village?
6. What do the people who are against the building of roads aim to do?
7. Why does discussion work well in a small rural community?
8. Why are roads and traffic a problem in rural areas?

6

This activity revises the use of prepositions. Listen to *Hörabschnitt 12* again and fill in the gaps in the text below with the correct prepositions and the correct form of the article.

Hören Sie und schreiben Sie das richtige Wort oder die richtigen Wörter in die Lücken.

„Also, ich denke, ____________ Dorf ist die Gemeinschaft und das Gemeinschaftsgefühl stärker als ____________ ____________ Stadt, obwohl das sicherlich auch ____________ ____________ letzten Jahrzehnten anders geworden ist, weil einerseits viele Leute ______________ ______________ Dorf wegziehen und andererseits viele Leute ______________ ______________ Stadt ______________ Land ziehen. Aber Dorfleben bedeutet ______________ mich, daß man alle kennt. Man trifft viele Leute regelmäßig ______________ ______________ Kneipe, ______________ ______________ Straße oder ______________ Einkaufen. Und deshalb ist es nicht so anonym wie ______________ ______________ Stadt."

7

Now for a chance to practise question words.
Welches Wort paßt in welche Lücke?

1 ______________ ist das Gemeinschaftsgefühl stärker als in der Stadt?

Im Dorf.

2 ______________ geht der Straßenbau etwas an?

Alle Bürger.

3 ______________ hat sich das Gemeinschaftsgefühl in den letzten Jahrzehnten im Dorf geändert?

Weil viele Leute aus dem Dorf in die Stadt ziehen, und andererseits Leute aus der Stadt aufs Land ziehen.

4 ______________ diskutieren die Leute auf dem Land direkt?

Über Probleme.

5 ______________ sind manche Leute auf dem Land?

Sie sind gegen den Bau von Straßen.

6 ______________ Verkehrsmittel sind auf dem Land schlecht und fahren zu selten?

Öffentliche Verkehrsmittel.

8

In this activity you will use *Hörabschnitt 13* to take part in an interview about urban and rural life. You are on holiday in Germany, and are discussing the advantages and disadvantages of cities and villages with your friend Erika from Leipzig.
Hören Sie den Hörabschnitt 13 und sprechen Sie in den Pausen.

Erika Wohnst du auf dem Lande oder in der Stadt?

Sie (I live in a town.)

Erika Und gefällt es dir da?

Sie (Yes, but there are some disadvantages.)

Erika Was für Nachteile, zum Beispiel?

Sie (Well, for example, there's more traffic and more air pollution in a town than in the country.)

Erika Ja, das stimmt.

Sie (What about you? Do you like living in Leipzig?)

Erika Nein, eigentlich würde ich lieber auf dem Land wohnen.

Sie (Why? Leipzig is a very interesting city.)

Erika Das stimmt schon, aber ich bin kein Stadtmensch. Leipzig ist mir zu laut, zu gefährlich und zu groß.

Sie (Can you imagine living in a village?)

Erika Oh ja, ganz gut. Aber ich habe halt meinen Job hier in Leipzig. Und es ist einfach zu umständlich, jeden Tag in die Stadt zum Arbeiten zu fahren.

Sie (Hmm, that's true.)

9

This activity revises the use of *obwohl* and *wenn*.

Welches Wort – „obwohl" oder „wenn" – paßt in welchen Satz?

1 ______________ Autofahren umweltschädlich ist, machen es 78% der Bevölkerung.

2 ______________ die Obdachlosen hungern, gehen sie zur Suppenküche.

3 ______________ ich umweltbewußt bin, kaufe ich manchmal noch Einwegflaschen.

4 Die Bürgermeisterin kauft auf dem Markt ein, ______________ sie Zeit hat.

5 Er redet, ______________ man ihn bei dem Lärm nicht hört.

6 Sie möchte nicht spazierengehen, ______________ es dunkel ist.

Finally, write a short summary about *Lebensqualität* and the differences between town and country. Include some of the issues that are used to define quality of life in the article '*Wo Sie am besten leben*' and the information from *Hörabschnitt 12* used in Activity 5.

Try to give your own opinion about whether you prefer living in a town or a rural area at the end of your summary, using phrases like *Ich kann mir vorstellen …, Ich persönlich …* .

Schreiben Sie bitte eine Zusammenfassung (100–150 Wörter).

Lerneinheit 11 Recycling

The final *Lerneinheit* in this *Thema* revises the important subject of recycling. There are three topics: *Sense and supermarkets*, *Reduce, reuse and return*, which concentrates on the use of refillable containers and *Pollution in the community*.

By the end of *Lerneinheit 11* you will have revised the use of *weil* and *wenn*, the passive and your letter writing skills, as well as extending your vocabulary on the subject of recycling.

STUDY CHART

Topic	Activity and resource	Key points
Sense and supermarkets	**1 Text**	reading about environmentally friendly shopping
	2 Text	revising *weil* and *wenn*
Reduce, reuse and return	**3 *Übungskassette***	talking about recycling
	4 Text	revising relevant vocabulary
	5 Text	revising the passive and linking words
Pollution in the community	**6 Text**	reading a child's letter about pollution
	7 Text	completing a letter in reply
	8 *Übungskassette*	complaining to a local councillor
	9 Text	writing about a clean-up initiative

The environmentally friendly shopper can cut down on waste in many ways.

Lesen Sie den Artikel. Welche Aussage stimmt?

vermeiden *to avoid*

das Netz (Einkaufsnetz) *string bag*

die Nachfüllpackung (-en) *refillable pack*

herstellen *to produce*

Tips für den umweltbewußten Konsumenten

Abfall vermeiden beginnt vor dem Einkaufen. Vergessen Sie nicht einen Korb, eine Baumwolltasche oder ein Netz mitzunehmen, wenn Sie einkaufen gehen. Dann brauchen Sie keine Plastiktüten.

Papp- und Plastikverpackungen von Milch, Kakao und Säften sind Abfall. Suchen Sie nach Getränken in Mehrwegflaschen.

Kaufen Sie Produkte, die nicht doppelt oder dreifach verpackt sind. Das ist nicht nur unnötig sondern vergrößert auch den Müllberg. 30% des Hausmülls sind Verpackungen.

Kaufen Sie nur so viel, wie Sie auch tatsächlich verbrauchen können. 20% aller Lebensmittel landen in der Mülltonne.

Kaufen Sie keine Miniportionen, denn die verursachen besonders viel Abfall. Fast immer ist die Verpackung teurer als der Inhalt.

Kaufen Sie Nachfüllpackungen für Waschmittel und Kosmetika. Das hilft, den Müllberg zu reduzieren.

Vermeiden Sie Dosen usw. aus Aluminium. Aluminium herzustellen, kostet viel Energie und viele Ressourcen.

1 Wenn man einkaufen geht,
- **a** soll man Plastiktüten mitnehmen. ❑
- **b** soll man vor dem Einkauf über Plastiktüten nachdenken. ❑
- **c** soll man z.B. eine Baumwolltasche mitnehmen. ❑

2 Milch, Kakao und Säfte sind
- **a** am umweltfreundlichsten in Pappkartons. ❑
- **b** am umweltfreundlichsten in Mehrwegflaschen. ❑
- **c** am umweltfreundlichsten in Plastikflaschen. ❑

3 Man soll keine Produkte kaufen,
- **a** die schlecht verpackt sind. ❑
- **b** die mehrmals verpackt sind. ❑
- **c** die gar nicht verpackt sind. ❑

4 Man soll
- **a** nicht zu wenig Lebensmittel kaufen. ❑
- **b** nicht genug Lebensmittel kaufen. ❑
- **c** nicht zu viele Lebensmittel kaufen. ❑

5 Man soll keine kleinen Portionen kaufen,
- **a** weil sie viel Abfall verursachen. ❑
- **b** weil sie zu teuer sind. ❑
- **c** weil sie verpackt sind. ❑

6 Man soll Nachfüllpackungen kaufen,

- **a** weil sie billiger sind. ❑
- **b** weil sie weniger Abfall verursachen. ❑
- **c** weil sie leichter zu transportieren sind. ❑

7 Man soll keine Dosen aus Aluminium kaufen,

- **a** weil sie zu teuer sind. ❑
- **b** weil ihre Produktion zu teuer ist. ❑
- **c** weil ihre Produktion energieintensiv ist. ❑

2

Now rewrite some of the advice for environmentally friendly shopping using *weil* or *wenn*. Don't forget to change the word order.

Schreiben Sie Sätze mit „weil" oder „wenn".

1. Ich nehme einen Einkaufskorb mit. Ich brauche keine Plastiktüten.
2. Ich kaufe Säfte in Mehrwegflaschen. Sie sind besser für die Umwelt.
3. Ich kaufe keine Miniportionen. Ihre Verpackung ist teurer als ihr Inhalt.
4. Ich kaufe keine mehrfach verpackten Produkte. Ich verursache weniger Verpackungsmüll.
5. Ich kaufe keine Dosen aus Aluminium. Ihre Herstellung kostet viel Energie.

3

In this activity you talk to a German friend about what you do to help the environment.

Hören Sie den Hörabschnitt 14 und beantworten Sie die Fragen.

4

In the next activity, Activity 5, you will describe what happens to *Mehrwegflaschen* and practise the passive with *werden*.

Before you do that, here is a quick preparatory activity to help you check that you know all the relevant vocabulary.

Welches englische Wort paßt?

1 die Kiste	**a**	crate	❑
	b	bag	❑
	c	block	❑
2 der Verschluß	**a**	lock	❑
	b	bottle top	❑
	c	key	❑
3 das Etikett	**a**	etiquette	❑
	b	ethics	❑
	c	label	❑
4 anliefern	**a**	to come running	❑
	b	to deliver	❑
	c	to be sunk	❑

5 ablösen	**a**	to take off	❑
	b	to change	❑
	c	to dissolve	❑
6 abschrauben	**a**	to screw up	❑
	b	to unscrew	❑
	c	to plant out shrubs	❑
7 füllen	**a**	to feel	❑
	b	to take away	❑
	c	to fill	❑

5 These pictures show how *Mehrwegflaschen* are used. Describe the process in words, using the passive with *werden* and expressions like *dann*, *anschließend*, *schließlich*, *danach* and *zum Schluß* to link your sentences. Here are some other useful words:

schütteln *to shake*	**Reste** (*pl*) *residue*	**trocknen** *to dry*

Schreiben Sie auf, was mit den Mehrwegflaschen passiert.

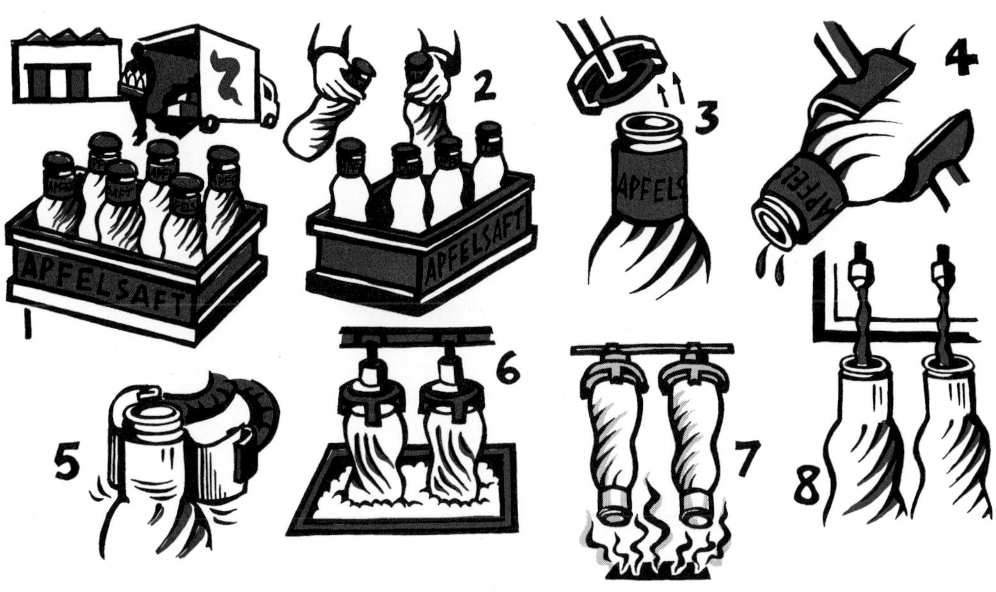

In Deutschland werden vor allem Bier und Mineralwasser, aber auch Fruchtsäfte, in Kisten verkauft. Man bezahlt beim Kauf ein Pfand (*deposit*) für die Kiste und die Mehrwegflaschen. Wenn man die Kiste und die Flaschen zurückbringt, bekommt man natürlich sein Pfandgeld zurück.

Now for some revision of making a complaint. In this case, 12-year-old Kirsten has written to the mayor of Hamburg to complain about the state of her playground.
Lesen Sie den Brief und beantworten Sie die Fragen auf englisch.

Lieber Bürgermeister!
Wenn ich auf den Spielplatz gehe, liegen dort Dosen, Flaschen, Plastiktüten und manchmal auch gebrauchte Spritzen. Der Spielplatz und auch der Park sind ganz dreckig. Das ist ein Skandal. Der Spielplatz ist keine Mülltonne, sondern für Kinder. Ich habe Angst, daß ich mich verletze. Und auf den Straßen fahren immer mehr Autos und verpesten die Luft. Manchmal kriege ich gar keine Luft mehr. Und ich kann nicht auf der Straße spielen, weil überall Autos parken und fahren.

Warum machen Sie nicht mehr?

Ich helfe auch gerne mit, denn ich will in einer sauberen Umwelt leben.

Viele Grüße

Kirsten

die Spritze (-n)
syringe
dreckig = schmutzig

1 What different kinds of rubbish can Kirsten find in her playground?
2 Which two places are particularly dirty?
3 What is Kirsten afraid of?
4 What do cars do to the environment, according to Kirsten?
5 How does this affect her?
6 Why can't she play on the streets?

Now imagine that the mayor has written back to Kirsten. Fill in the missing sentences using the English prompts provided.

Schreiben Sie den Brief.

Liebe Kirsten!

(*Many thanks for your letter.*)

Ich finde es auch schlecht, (*that your playground and the park are dirty*).

Wir versuchen, alle Parks und Spielplätze regelmäßig zu säubern, (*but there are too many playgrounds and parks in Hamburg*). Aber auch Du, Deine Eltern, Deine Freundinnen und Freunde können dabei helfen. (*You could collect the rubbish together*), um den Spielplatz sauberer zu machen. (*Then you don't have to be afraid of*), Dich zu verletzen.

Ich weiß, daß Autos und die von Autos verursachte Luftverschmutzung ein großes Problem sind. Wir wollen, (*that more people use public transport*).

Jeder kann dabei mitmachen und so der Umwelt helfen. Fährst du mit dem Bus? Und Deine Eltern? (*If you and your parents use public transport more often*), dann verschmutzt Ihr die Luft viel weniger. Und wenn viele Leute das machen, wird die Luft besser.

(*Best wishes*),

(*Yours,*) Hans Meier

Bürgermeister

8

Now use *Hörabschnitt 15* to complain about the filthy playground in your area. You talk about it to a *Stadträtin* (local councillor), Frau Schmath, expressing your feelings by using phrases like *das ist ein Skandal*, or *das ist einfach unmöglich.*

Lesen Sie die englischen Sätze durch und bereiten Sie Ihre Antworten vor. Sprechen Sie dann.

Sie	*(Our local playground is a real scandal!)*
Frau Schmath	Warum?
Sie	*(Rubbish is lying everywhere, empty bottles, plastic carrier bags and even used syringes.)*
Frau Schmath	Oh, tatsächlich?
Sie	*(It's just impossible. Why doesn't the council do something?)*
Frau Schmath	Naja, wir können halt nicht alles machen.
Sie	*(Why not? The playground is dangerous for our children.)*
Frau Schmath	Ja, das stimmt ja. Aber warum machen Sie nicht selber was?
Sie	*(What can we do?)*
Frau Schmath	Zum Beispiel mit anderen Eltern den, äh, Spielplatz aufräumen. Die Stadt kann sicher ein bißchen dabei helfen.
Sie	*(Well, why not? I'll talk to the other parents.)*

After talking to other parents you started a local initiative to clean up the playground and repair the play equipment (*die Spielgeräte reparieren*). A journalist for the local paper (*Stadtteilzeitung*) has asked you to write about the playground, before and after the clean-up. Use the vocabulary from Activities 6–8, words like *früher* and *jetzt*, and the past tenses where appropriate.

Schreiben Sie einen kurzen Artikel für die Stadtteilzeitung. (100 Wörter)

Eltern werden aktiv

- Spielplatz schmutzig
- überall Müll (z.B. Dosen, leeren Flaschen, gebrauchte Spritzen)
- gefährlich für Kinder
- Verletzungsgefahr
- Stadt macht nichts
- Eltern gründen Initiative
- Spielplatz aufräumen
- Müll zur Mülldeponie
- Spielgeräte reparieren
- jetzt Spielplatz wieder sauber
- Eltern fordern: Stadt muß Spielplatz in Ordnung halten

Thema 8

Wendepunkte

The focus of *Thema 8* is change and, in particular, the effects of reunification on eastern Germany and its largest city, Berlin. *Teil 1, Vor der Wende*, contains a brief history of what happened in eastern Germany between 1945 and the present day. These public events are counterbalanced by personal accounts of life in the east before reunification and reactions to the fall of the Honecker government and the opening of the frontiers. *Teil 2, Die Wende und danach*, looks at the impact of the *Wende* on Leipzig, the city which was so important in the lead-up to reunification and what happened afterwards. There is some discussion of the prospects for the new *Messegelände* and the problems facing industry in eastern Germany. *Teil 3, Berlin,* concentrates on this city and some of the big debates about the buildings which are central to its history and character. In *Teil 4, Wiederholung*, you will find out how things turned out for Thomas and Bettina in the last episode of the drama and take a final look at Berlin.

By the end of *Thema 8*, you should know more about the impact of the *Wende* on a single Germany. You will have revised and practised most of the grammar that you have learned during your study of this course and you will also have learned and practised the language of emotion and argument.

Teil 1

Vor der Wende

Teil 1 concentrates on the impact of the *Wende* on everyday life in Germany. *Lerneinheit 1, Wendegeschichten*, provides a context for the *Wende* by taking you back through the history of the German Democratic Republic (GDR, referred to from now on as the DDR – Deutsche Demokratische Republik). *Lerneinheit 2, Wende – Leute – Leipzig* is about the people of East Germany and their lives during the lead-up to the *Wende*. It also focuses on their feelings and emotions during the *Wende*. *Lerneinheit 3, DDR im Alltag*, looks at life in East Germany before the *Wende*. In this *Teil* you will practise the present, the perfect and the imperfect tenses and revise the use of prepositions. You will also learn and practise the language of emotion.

Lerneinheit 1 Wendegeschichten

Lerneinheit 1 gives you some background information about the events leading up to the big turning point in 1989–90. It starts with some personal reactions to the *Wende*, then works through a brief historical account of post-war German history.

There are three topics in *Lerneinheit 1*: *Different reactions, 1945–1990* and *Checking your knowledge of events*. By the end of *Lerneinheit 1*, you will have had practice in reading, understanding and writing about a fairly complicated text dealing with historical events, plus some practice in using *werden*.

STUDY CHART

Topic	Activity and resource	Key points
Different reactions	**1 Text**	reading people's views of the *Wende*
1945–1990	**2 Text**	preparing to read about the history of the DDR
	3 Text	reading a brief history of the DDR
	4–7 Text	looking at the text in more detail
Checking your knowledge of events	**8 Text**	matching dates with events
	9 *Übungskassette*	checking your knowledge of DDR history

To start this work on the *Wende*, read these comments made by four citizens of the former DDR on how they felt about it.

Lesen Sie die vier Texte und beantworten Sie die Fragen auf deutsch.

das Erlebnis (-se) *event*

der Bauunternehmer (-) *building contractor*

selbständig *self-employed, independent*

scharf sein auf *colloquial: to be very keen on, crazy about*

der Blödsinn *nonsense*

die Steuererklärung (-en) *tax form*

Herta Herzog, 76 Jahre alt, Ostberlin

„Für mich war die Wiedervereinigung Deutschlands das schönste Erlebnis in meinem ganzen Leben! Daß man nun plötzlich wieder in ganz Berlin spazieren gehen und einkaufen gehen kann, daß man Straßen wiederentdeckt, die man als Kind entlanggelaufen ist ... und natürlich die Menschen: Daß die Menschen wieder so einfach zusammenkommen können!"

Hans-Jochen Markwart, 40 Jahre alt, Bauunternehmer in Erfurt

„Nicht für alle war es eine Wende zum Positiven, viele haben ihre Arbeit verloren und manche – vor allem in der älteren Generation – nie wieder Arbeit gefunden. Mein Leben ist besser geworden nach der Wende, ich bin heute selbständig und leite mein eigenes Geschäft. Und ich bin auch froh für meine Kinder, die heute Englisch lernen und überall hinreisen und überhaupt viel mehr Möglichkeiten haben, als sie es je in der DDR gehabt hätten."

Andrea Herz, 24 Jahre alt, jobbt als Kellnerin in Oranienburg

„Ich war ja noch ziemlich jung damals. Wir waren in der Schule, und wir waren alle erst mal scharf auf amerikanische Turnschuhe und ein Videogerät usw. Das war das Höchste. Bald gab es dann eine neue Hierarchie in der Klasse: Wessen Eltern haben das schnellste Auto? und so'n Blödsinn!"

Heiner Ansbach, 53 Jahre alt, Hausmeister, Stendal

„Das war eine völlig neue Situation für uns alle. Wir fühlten uns auf einmal wie kleine Kinder, denen man erst mal alles erklären muß: Die neuen Verkehrsregeln, das politische System, wie man eine Steuererklärung ausfüllt usw."

1. Frau Herzog nennt drei wichtige Gründe, warum für sie die Wiedervereinigung das schönste Erlebnis in ihrem Leben war. Welche?
2. Laut Herrn Markwart war die Wende nicht für alle Menschen positiv. Für wen war sie nicht positiv? Warum?
3. Was sagt Herr Markwart über sein Leben nach der Wende?
4. Warum ist er froh für seine Kinder?
5. Was war für Frau Herz nach der Wende besonders wichtig?
6. Warum fühlte sich Herr Ansbach wie ein kleines Kind?

2

In the next activity you will read a fairly complex text on the history of the DDR. To make sure that you understand it, check that you know the English equivalents of these German expressions. Don't be put off by the long list – start by picking out the words you know or can recognise easily, then work on the less familiar ones. There are also some visual clues.

Ordnen Sie bitte zu.

1 der Aufbau	*bottleneck, shortage of supply*
2 die Besatzungszone	*barbed wire*
3 die Genehmigung	*norm, standard*

4	die Grenze	*national holiday*
5	die Macht	*border*
6	der Nationalfeiertag	*permission*
7	die Norm	*victor*
8	die Schwerindustrie	*occupied zone*
9	der Sieger	*heavy industry*
10	die Sperrzone	*the Iron Curtain*
11	der Stacheldraht	*construction, build-up*
12	der Versorgungsengpaß	*exclusion zone*
13	der Versorgungsmangel	*popular uprising*
14	der Volksaufstand	*election*
15	der Eiserne Vorhang	*supply problem*
16	die Wahl	*currency*
17	die Währung	*power*
18	alltäglich	*straight across*
19	bewachen	*to guard*
20	bewaffnet	*to draw a border*
21	einführen	*everyday, ordinary*
22	einrücken	*armed*
23	erschießen	*to stir*
24	fördern	*to introduce*
25	quer durch	*to pursue, promote*
26	reagieren	*to shoot dead*
27	sich regen	*to encourage, support*
28	verfolgen	*to react*
29	eine Grenze ziehen	*to move in*

14

4

11

19

This activity will help you to read for gist. Give yourself a few minutes to read the whole text and try to get a general understanding of it, without spending too much time on detail. Then match these four headings to the four sections.

Welche Überschrift paßt wo?

a Die friedliche Revolution

b Deutschland wird ein geteiltes Land

c Die Mauer

d Die DDR – der „Arbeiter- und Bauernstaat"

1 Für Deutschland war das Ende des Zweiten Weltkrieges am 8. Mai 1945. Die Sieger – USA, Sowjetunion, Frankreich und Großbritannien – teilten das Land in vier Besatzungszonen auf. Die sowjetische Besatzungszone (SBZ) war der Osten Deutschlands. 1948 wurde eine neue Währung, die D-Mark, in den drei westlichen Zonen eingeführt. Einige Tage später führte die SBZ eine eigene Währung ein. Und die Sowjetunion blockierte alle Zufahrtswege nach Berlin. Das war der Anfang der Berlin Blockade.

Die westlichen Besatzungsmächte und die Sowjetunion hatten entgegengesetzte Konzepte für Deutschland. Die Sowjets förderten die SED (Sozialistische Einheitspartei Deutschlands) in der SBZ, die Amerikaner und Briten ein pluralistisches System im Westen. Man konnte sich auf kein Konzept für einen neuen deutschen Staat einigen.

Am 23. Mai 1949 wurde die Bundesrepublik Deutschland gegründet, die SED reagierte darauf mit der Gründung eines eigenen Staates am 7. Oktober 1949, der DDR (Deutsche Demokratische Republik). Ost- und Westdeutschland waren nun zwei verschiedene Staaten.

2 1952 begann der offizielle „Aufbau des Sozialismus" in der DDR: Die Kollektivierung der Landwirtschaft begann. Der Staat investierte in die Schwerindustrie (Kohle, Stahl, Metall), nicht in die Konsumgüterindustrie. Bald kam es zu Versorgungsengpässen. Alltägliche Produkte, wie Schuhe, Strümpfe, Toilettenpapier fehlten in den Läden. Immer mehr DDR-Bürger verließen das Land und gingen in den Westen. Die DDR-Regierung errichtete eine 5 Kilometer breite Sperrzone an der Grenze zur Bundesrepublik, die von bewaffneten Soldaten bewacht wurde. Nur noch in Berlin konnte man frei von Ost nach West gehen. Im Juni 1953 kam es zum Volksaufstand in der DDR: Eine Woche lang protestierten die Menschen gegen Versorgungsmängel und höhere Normen. Am 17. Juni rückte sowjetisches Militär in Berlin ein, und Dutzende von Demonstranten wurden erschossen. Damit war das Land wieder unter Kontrolle. Aber immer noch reisten viele über Berlin in den Westen und kamen nicht mehr zurück.

3 Am Morgen des 13. August 1961 wachten die Berliner auf und sahen, daß man über Nacht mit Stacheldraht eine Grenze quer durch die Stadt gezogen hatte. Überall standen bewaffnete Soldaten der ostdeutschen Volksarmee und bewachten den Bau der Berliner Mauer. 28 Jahre lang gab es für DDR-Bürger keine Möglichkeit mehr, ohne staatliche Genehmigung in den Westen zu reisen.

4 Ende der 80er Jahre regte sich erneut Protest in der DDR. In der Sowjetunion hatte Gorbatschow *Glasnost* und *Perestroika* eingeführt, da wollte man auch in Ostdeutschland mehr Demokratie. Es gab Demonstrationen, die DDR-Regierung reagierte mit Panik und mehr Polizei. Aber sie wurde zunehmend international isoliert – überall im Ostblock gab es Demokratie-Bewegungen. Es war das Ende des Eisernen Vorhangs. Im Herbst 1989 kamen Tausende von DDR-Bürgern nicht aus ihrem Urlaub in Ungarn zurück. Sie reisten über Österreich nach Westdeutschland. Die Menschen in der DDR protestierten immer lauter gegen das Regime. Am 9. November 1989 öffnete die DDR-Regierung die Berliner Mauer, am 18. März 1990 gab es die ersten freien Wahlen. Das Ende der DDR war nahe: Der 3. Oktober 1990 wurde zum Tag der deutschen Wiedervereinigung und ist heute Nationalfeiertag.

4

Now study the text in Activity 3 in greater detail. To start with, concentrate on section 1.

Lesen Sie den ersten Abschnitt noch einmal und korrigieren Sie die Sätze.

1. Die Sieger des Zweiten Weltkrieges teilten Deutschland in fünf Besatzungszonen auf.
2. Die sowjetische Besatzungszone war im Westen Deutschlands.
3. 1948 wurde zuerst im Osten und danach im Westen eine neue Währung eingeführt.
4. Die Briten förderten die SED in der westlichen Besatzungszone.

5

Read section 2 of the text in Activity 3 again more thoroughly. Check that you have understood it by filling in the gaps in the text below.

Bitte schreiben Sie in die Lücken.

Der DDR-Staat kollektivierte ____________ ____________ . Die Produktion von Kohle, Stahl, Metall usw. nennt man ____________ . Schuhe, Strümpfe und Toilettenpapier sind Beispiele für ____________ . In den ____________ der DDR konnte man in den 50er Jahren nicht immer alles kaufen. Die materielle Situation im ____________ war besser, darum verließen viele Menschen die DDR. Die DDR-Regierung postierte ____________ ____________ an der Grenze zur Bundesrepublik. Im Jahr ____________ gab es Proteste gegen die DDR-Regierung. Die Proteste wurden von sowjetischem ____________ beendet.

6

This activity will help you to practise word order. On page 87 there are some jumbled-up sentences. They are similar to those in section 3 of the text in Activity 3, but not exactly the same. So be careful how you start each sentence!

Bitte konstruieren Sie die Sätze.

1 wachten auf – und – die Berliner – staunten – am 13. August 1961
2 quer durch die Stadt – über Nacht – eine Grenze – man – hatte – gezogen
3 den Bau der Berliner Mauer – bewaffnete Soldaten – bewachten
4 DDR-Bürger – jetzt – nicht mehr – reisen – konnten – in den Westen

7

Now concentrate on the final section of the text in Activity 3.

Bitte kreuzen Sie an.

die Besonnenheit *calm*

1 Die Proteste in der DDR
- **a** fanden Ende der siebziger Jahre statt. ❑
- **b** fanden Ende der achtziger Jahre statt. ❑
- **c** fanden Ende der neunziger Jahre statt. ❑

2 Auf die Demonstrationen der Bürger reagierte die DDR-Regierung
- **a** mit Ruhe und Besonnenheit. ❑
- **b** mit Härte und mehr Polizei. ❑
- **c** mit Panik und mehr Polizei. ❑

3 Im Herbst 1989 kamen viele DDR-Bürger nicht aus Ungarn zurück,
- **a** weil Ungarn ihnen so gut gefiel. ❑
- **b** weil sie über Österreich in die Bundesrepublik ausreisten. ❑
- **c** weil sie nach Österreich auswanderten. ❑

4 Das Ende der DDR war
- **a** am 9. November 1989. ❑
- **b** am 18. März 1990. ❑
- **c** am 3. Oktober 1990. ❑

8

Use the dates given in the text in Activity 3 and match them to the details of important events below, then list them in chronological order. The first date has been provided for you, but not the event to go with it.

Welche Daten passen zu welchem Ereignis?

Datum	**Ereignis**
8. Mai 1945	________
________	Bau der Berliner Mauer
________	Deutsche Wiedervereinigung
________	Gründung der DDR
________	Gründung der Bundesrepublik Deutschland
________	Öffnung der Mauer
________	Volksaufstand in der DDR
________	Demokratisierung des Ostblocks

 **9**

Now imagine that you are taking part in a quiz show. Your specialist subject is German post-war history, and, in particular, the DDR. You will be asked questions about dates and facts. All the answers can be found in the text about the history of the DDR in Activity 3.

Hören Sie Hörabschnitt 1 und beantworten Sie die Fragen.

1. Wann war der Zweite Weltkrieg für Deutschland zu Ende?
2. Was passierte dann mit Deutschland?
3. Was geschah 1949?
4. Welcher Industriezweig war für die DDR besonders wichtig?
5. Was geschah am 13. August 1961?
6. Wie lange gab es die Mauer?
7. Wann wurde die Mauer geöffnet?
8. Hörte damit die DDR auf zu bestehen?

Lerneinheit 2 Wende – Leute – Leipzig

The theme of *Lerneinheit 2* is the impact of the *Wende* on the lives of individuals. You will see and hear Germans talking about their reactions to the events of the 9th of November 1989 and how things have turned out for them since then.

The two topics in this *Lerneinheit* are *When the Wall came down …* and *Reacting to dramatic events*. By the end of *Lerneinheit 2*, you will have practised expressing emotion as well as gaining insights into the effects of reunification on individual Germans.

STUDY CHART

Topic	Activity and resource	Key points
When the Wall came down …	**1 Video**	watching a video about historic events in East Germany
	2–3 Video	checking you've understood the video
Reacting to dramatic events	**4 Text**	checking the vocabulary needed to express emotions
	5 *Übungskassette*	listening to a personal reaction to the events of 9th November 1989
	6 Text **7 *Übungskassette***	practising ways of expressing emotions
	8 Text	writing a summary of people's reactions to the *Wende*

14:19–19:14

In this activity you will be working on the first part of the video for this *Thema*. Before you watch it, read the statements below. Then watch the video once and identify which scenes from the history of the DDR are being shown.

Welche historischen Ereignisse der DDR-Geschichte sehen Sie in diesem Video? Bitte kreuzen Sie die richtigen Antworten an.

1 Der Termin für die Wahlen am 18. März 1990 wird im DDR-Fernsehen bekanntgegeben. ❑

2 Junge Menschen machen die Mauer kaputt und feiern das Ende eines Symbols. ❑

3 Im DDR-Fernsehen gibt ein Regierungssprecher die Öffnung der Berliner Mauer bekannt. ❑

4 Im Herbst 1989 an der Grenze zwischen Ungarn und Österreich: DDR-Bürger wollen nach Westdeutschland. ❑

5 Eine der regelmäßigen Kerzen-Demonstrationen nach dem Montagsgebet in Leipzig. ❑

6 Die letzte und größte Demonstration (am 4. November 1989) in Berlin vor der Öffnung der Mauer. ❑

7 Verkehrsstau in Berlin am 9. November 1989: Hunderte von Autos wollen über die offene Grenze nach Westberlin. ❑

LERNTIP

Getting the gist

The first time you watch the video linked to this *Thema*, you may not always understand much of it. But you can make sure that you get the gist of what's going on by identifying key words and phrases which convey the meaning. It's often easier to do this with the video than with the audio cassette, because you can usually pick up on a visual clue.

In most of the activities based on video sequences in this book you will start by answering general questions about the video, then go on to study sections of it in greater detail. Because you are listening to real people using everyday language (often in dialect) understanding them can sometimes be very difficult. You may need to watch some sections several times before you are able to answer the more detailed comprehension questions.

14:19–17:00

Now go back to the beginning of the video and watch the interview with Superintendent Friedrich Magirius again. You may find it hard to understand him because he speaks in complex sentences – which he doesn't always finish – and he uses very abstract and metaphorical language. Persevere though, since this style of speaking is not uncommon in Germany, and the more experience you have, the wider the range of people you will be able to understand.

Beantworten Sie die Fragen auf englisch.

die Aufrüstungswelle (-n) *the arms race*

das Gleichnis vom Senfkorn *the (biblical) image of the mustard grain*

die Überlegung (-en) *rationalisation, thought process*

der Machtblock (¨-e) *power block*

das Waffenarsenal (-e) *weapons arsenal*

1. How did the protest movement start?
2. When did young people concerned by the arms race begin to use the Nikolaikirche as a meeting place?
3. Why were some people excluded from DDR society?
4. What did the dissident movement demand from the DDR regime?
5. Why did people not believe that it might be possible to reunite Germany?
6. According to Superintendent Magirius, who was most worried about an 'explosion', i.e. another war?

Friedrich Magirius ist Superintendent an der ältesten Kirche Leipzigs, wo vor der Wende die Friedensgebete stattfanden. Nach der Wende hat er sich in der Lokalpolitik engagiert.

3

17:01–19:14

Now listen to what Frau Hart and Frau Jüttner say about the *Wende*.

Schauen Sie das Video an und beantworten Sie die Fragen auf deutsch.

1. Was war die Wende für Katrin Hart?
2. Was wollte sie vor der Wende?
3. Was hätte sie nicht für möglich gehalten?
4. Was hat Gesine Jüttner im November 1989 in Leipzig gemacht?
5. Was wollte sie unter anderem von der DDR-Regierung?
6. Warum hat Katrin Hart immer gehofft, daß die Mauer wieder wegkommt?
7. Was sagt Frau Hart über die Kontraste in dieser Zeit?

Frau Hart ist Schauspielerin und Star des Kabaretts „academixer" in Leipzig. Sie ist in Rostock an der Ostsee geboren, aber in Berlin aufgewachsen. Sie ist mit einem Schauspieler verheiratet und hat zwei Kinder.

Gesine Jüttner ist Geschäftsführerin in einem Reisebüro in Leipzig. Sie ist in Leipzig geboren und erzieht ihren Sohn allein.

The *Wende* was obviously a time of great emotion. Here are some extracts from the commentary and from Katrin Hart's account. Fill in the gaps in the sentences with the words used to convey emotion supplied below.

Welches Wort paßt wo?

1 Herbst 1989 war eine ____________ und ____________ Zeit der deutschen Geschichte.

2 Die Wende war das ____________ Erlebnis in meinem persönlichen Leben.

3 Das war für mich wahnsinnig ____________ und hat mich gefangen genommen.

4 Diese Kontraste in der Zeit, die haben einen so ____________ gemacht.

atemberaubend (*breathtaking*) atemlos (*breathless*) beeindruckend (*impressive*) einschneidend (*literally: incisive; here: important, dramatic*) unvergeßlich (*unforgettable*)

zu meinen Lebzeiten *in my lifetime*

verrückt *crazy*

eingreifen *to intervene*

It was not only the people who were actually living in East Germany at the time who were surprised by the fall of the Wall; the vast majority of Germans had not thought it possible. Here is an account from a German woman, Charlotte Hollmann, who was living in Great Britain at the time.

Hören Sie Hörabschnitt 2 auf der Übungskassette und beantworten Sie bitte die Fragen.

1 Wo war Charlotte Hollmann am 9. November 1989?
2 Glaubte sie damals an eine Wiedervereinigung?
3 Wo war sie, als sie von der Öffnung der Mauer hörte?
4 Was dachte sie, als ihre Schwester anrief?
5 Was hat sie gefühlt, als sie den Fernseher einschaltete?
6 Wovor hatte sie Angst?

Check that you understand these phrases which are useful for expressing emotions.

Welcher deutsche Ausdruck paßt zu welchem englischen Ausdruck?

1	I am excited.	**a**	Ich hatte Sorge.
2	I am afraid.	**b**	Sie ist total verrückt geworden.
3	I simply can't believe it.	**c**	Ich bin überrascht.
4	I am so surprised.	**d**	Ich bin aufgeregt.
5	It is unimaginable.	**e**	Es ist unvorstellbar.
6	I was worried.	**f**	Ich kann es einfach nicht glauben.
7	It is overwhelming/mind-blowing.	**g**	Ich habe Angst.
8	She went completely crazy.	**h**	Es ist umwerfend.

7

Now practise some of the phrases from Activity 6 in *Hörabschnitt 3*, using the English prompts given here.

Hören Sie die englischen Sätze und sprechen Sie dann auf deutsch in den Pausen.

1. It's simply unimaginable that the Wall came down.
2. It's simply amazing that all East Germans can now travel anywhere.
3. I was absolutely speechless when I heard of the collapse of the Wall.
4. It was really breathtaking to see all the people celebrating.

Now that you have listened to several people who lived in the DDR, and to Charlotte Hollmann who was living in London, summarise their accounts of the *Wende*. Use some of the expressions you practised on the *Übungskassette* in Activity 7.

Schreiben Sie eine Zusammenfassung (etwa 100 Wörter).

Lerneinheit 3 DDR im Alltag

So what was everyday life like for ordinary citizens of the DDR before the *Wende*? *Lerneinheit 3* should give you an impression of the good and bad aspects of life under the DDR regime. There are four topics: *Frau Rösner's experiences, Herr Rosenkranz's experiences, Trabi – coveted object* and *Good and bad aspects.*

By the end of *Lerneinheit 3*, you will have practised weighing up good and bad points and using the perfect and imperfect tenses, conjunctions such as *aber* and *weil* and prepositions.

STUDY CHART

Topic	Activity and resource	Key points
Frau Rösner's experiences	**1 Text**	reading an article about life in the former DDR
	2 Text	practising using the imperfect tense
	3 Text	practising using the perfect tense
Herr Rosenkranz's experiences	**4–5 Text**	reading people's opinions of life in the DDR
	6 Text	practising prepositions
Trabi – coveted object	**7–9 Text**	finding out more about Trabant cars
Good and bad aspects	**10 *Übungskassette***	discussing the advantages and disadvantages of life in the DDR

The first case study in this *Lerneinheit* focuses on a single parent, Frau Rösner.
Lesen Sie den Artikel über Doreen Rösner und beantworten Sie die Fragen.

Doreen Rösner ist 32 Jahre alt und lebt in Halle – das liegt in Sachsen-Anhalt. Sie hat eine Tochter und zwei Söhne und ist alleinerziehende Mutter. „Also, das war in der DDR kein Problem," erzählt sie, „ich hab' gearbeitet, und die Kinder waren im Kindergarten. Silvio – das ist mein Jüngster – kam schon mit vier Wochen in die Krippe. Das war ganz normal – da hatte ich keine Sorgen."

Doreen Rösner ist vom Vater ihrer Kinder geschieden. „Ich habe schon mit 18 Jahren geheiratet, und meine Ehe dauerte nur vier Jahre. Wir Frauen waren ja nicht finanziell von den Männern abhängig. Wenn die Ehe nicht mehr funktionierte, dann war man vielleicht traurig, wütend oder enttäuscht – aber man wußte: Der Staat ist für einen da. Man brauchte keine Angst zu haben. Darum gab es sicher so viele Scheidungen in der DDR." Frau Rösner sieht den Einfluß des Staates auf ihr Leben positiv: „Der Staat hat sich gut um alleinerziehende Mütter gekümmert – das muß ich wirklich sagen. Ich bekam zum Beispiel sofort eine größere Wohnung, als meine Tochter geboren wurde. Wenn eins der Kinder krank war, gab es automatisch Urlaub und Krankengeld. Und wer wollte, der konnte nach der Geburt ein Jahr zu Hause bleiben – bei fast vollem Lohn. Das war aber nichts für mich – mein Beruf war zu wichtig für mich."

die (Kinder-) Krippe (-n)	*crèche*
das Krankengeld	*sick pay*

1 Wie viele Kinder hat Doreen Rösner?
2 Wo waren ihre Kinder tagsüber, wenn sie arbeitete?
3 Wie lange dauerte ihre Ehe?
4 Wie alt war sie, als sie heiratete?
5 Was sagt sie über die Rolle des Staates in der DDR?
6 Was konnten Mütter nach der Geburt eines Kindes machen?

2

Did you notice how Doreen Rösner switched between the perfect and imperfect tenses in the article? Now it is your turn to practise the imperfect. Complete this text using the imperfect forms of the verbs given below.

Schreiben Sie die Sätze zu Ende.

Doreen Rösner ____________ alleinerziehende Mutter in der DDR. Ihr Sohn ____________ mit vier Wochen in die Krippe. Sie ____________ ihre Kinder nur am Abend und am Wochenende. Abends ____________ die Kinder müde und ____________ früh ins Bett. Ihre Ehe ____________ nur vier Jahre. Es ____________ viele Scheidungen in der DDR. Sie ____________ nach der Geburt ihrer Kinder nicht zu Hause.

gehen sein dauern sein kommen sehen geben bleiben

3

Now answer these questions using the perfect tense. There are some suggestions in English that you could use for your answers.

Beantworten Sie bitte diese Fragen im Perfekt.

1 Was hat Doreen Rösner während der Woche gemacht? (*she worked*)
2 Wann hat sie ihre Kinder gesehen? (*in the evening and at weekends*)
3 Wie hat sich der Staat um alleinerziehende Mütter gekümmert? (*the state looked after single mothers very well*)
4 Was ist passiert, als ihre Tochter geboren wurde? (*she got a larger flat immediately*)
5 Ist sie nach der Geburt ihrer Kinder zu Hause geblieben? (*no, she didn't stay at home*)

4

On page 95 there is an article about the experiences of Rudi Rosenkranz, plus the opinions of three more people on working in the DDR.

Welche der drei Aussagen paßt zu dem Artikel von Rudi Rosenkranz?

von der Wiege bis zur Bahre *from the cradle to the grave*
üblich sein *to be usual*
der Trabant *a DDR make of car*
sich abspielen *to take place, to be based*
betreuen *to look after*
in den Beruf führen *to guide into employment*
nicht klarkommen *to be unable to cope*

das Rumsitzen *sitting about*

jemandem nicht liegen *not to suit someone*

die Maßnahme (-n) *measure*

hervorragend *excellent*

die LPG (Landwirtschaftliche Produktionsgenossenschaft) *collective farm*

die Heimstadt *a home from home*

Von der Wiege bis zur Bahre

Für einen DDR-Bürger war das Unternehmen, der Betrieb in dem er arbeitete, viel mehr, als es in der Welt sonst üblich ist. Wir haben immer gesagt, von der Wiege bis zur Bahre ist ein Betrieb für alles verantwortlich. Es fing damit an, daß wir geholfen haben bei den Familienproblemen. Die Leute kamen in den Betrieb, wenn sie eine Wohnung brauchten, sie kamen in den Betrieb, wenn sie eine Stelle brauchten, um jemand zu pflegen, sie kamen in den Betrieb, wenn es darum ging, Wünsche zu erfüllen – ich will mal sagen, bis zum Trabant. Das alle spielte sich hier ab. Die Kinder waren im Betriebskindergarten. Sie wurden betreut in Betriebsferienlagern und dann in den Beruf geführt – meistens lernten sie im Betrieb ihrer Eltern, das ist hier ganz typisch gewesen. Und wenn einer mal mit dem Alkohol nicht klarkam, mußte sein Kollektiv ihn erziehen. Wenn es in der Ehe Probleme gab, dann ging das auch wieder zurück in den Betrieb, weil das Kollektiv helfen sollte, das zusammenzuhalten.
Rudi Rosenkrantz

Das Zu-Hause-Rumsitzen das liegt uns Frauen nicht – weil wir von Anfang an gearbeitet haben. Und jetzt auf einmal sollen wir nichts mehr machen. Das Nichtgebrauchtwerden, das macht einen auf Dauer kaputt.
Angelika Schneidenbach

Wir hatten keine Arbeitslosigkeit, wir hatten ein soziales Sicherungssystem, das hervorragend war. Aber die Menschen wollten dann doch mehr: Das westliche Geld und das westliche Warenangebot und zugleich die sozialen Maßnahmen – und das beides zusammen gab es nicht.
Gerhard Schürer

Die LPG war alles Die war Arbeitsstelle. Die war kulturelles Zentrum. Die war soziales Zentrum und soziale Einrichtung. Wir haben Krippen finanziert, Kindergärten, kulturelle Einrichtungen. Also die LPG war eine Heimstadt für die Bewohner.
Fritz Dallmann

5

To do this activity about work in the DDR, you need to reread the articles in Activity 4.

Lesen Sie die Artikel noch einmal, kreuzen Sie an und korrigieren Sie die falschen Sätze.

		RICHTIG	FALSCH
1	Für einen Ostdeutschen war der Betrieb das Zentrum seines Lebens.	❑	❑
2	Die Kindergärtner haben bei Problemen in der Familie geholfen.	❑	❑
3	Es gab eine hohe Arbeitslosigkeit in der DDR.	❑	❑
4	Frauen durften in der DDR nicht arbeiten, sondern mußten zu Hause sitzen.	❑	❑
5	Das soziale Sicherungssystem in der DDR war sehr umfassend.	❑	❑
6	Das Kollektiv half bei Alkohol- und Eheproblemen.	❑	❑
7	Für DDR-Bürger war der Betrieb wichtig beim Erfüllen von Wünschen.	❑	❑

Complete this summary of Rudi Rosenkranz's life in the DDR using the prepositions given below.

Bitte schreiben Sie die richtige Präposition und den richtigen Artikel in die Lücken.

Rudi Rosenkranz wohnt ____________ ____________ Plattenbausiedlung. Früher hat er ____________ ____________ landwirtschaftlichen Produktionsgenossenschaft (LPG) gearbeitet. Er ging zu Fuß ____________ ____________ Betrieb. Seine Kollegen fuhren ____________ ____________ Auto zur Arbeit. Wenn er ____________ ____________ Arbeit ____________ Hause kam, war er nicht kaputt – die Arbeit war nicht anstrengend. Oft hat er ____________ ____________ Mittagspause ____________ ____________ Kollegen Karten gespielt. Sein Betrieb hat auch einen Arbeitsplatz ____________ seinen Sohn gefunden. Seine Frau arbeitete ganz ____________ ____________ Nähe. ____________ ____________ Arbeit sind sie immer zusammen nach Hause gegangen.

in mit in von in mit in nach nach für in

Here is an article about the East German car industry and its mainstay, the Trabant.

Lesen Sie den Artikel und beantworten Sie die Fragen auf englisch.

In der DDR gab es nur eine begrenzte Auswahl an Autos zu kaufen. Autos aus westlicher Produktion waren für den normalen DDR-Bürger nur ein Traum, den man nicht realisieren konnte, weil man für sie mit Devisen bezahlen mußte. Wenn Autos aus ausländischer Produktion zu kaufen waren, dann kamen sie aus den sogenannten sozialistischen Bruderländern, wie Lada und Skoda.

Das Rückgrat der automobilen Freiheit in der DDR waren die Autos aus der eigenen, ostdeutschen Produktion, der Wartburg aus Eisenach und der Trabant aus Zwickau. Kein Auto symbolisierte die DDR so sehr wie der über 3 Millionen mal produzierte Trabant, dessen Karrosserie über Jahrzehnte fast unverändert blieb.

Wenn man einen neuen Trabant kaufen wollte, brauchte man vor allem Geduld, denn die Wartezeit betrug zwischen 10 und 12 Jahren. Erst dann konnte der stolze Besitzer in seinen Wagen steigen und davonknattern. Wegen der langen Wartezeit wurden gebrauchte Trabants zu hohen Preisen gehandelt.

Aber die Wende brachte bald das Aus für den Auto-Zwerg, keiner wollte mehr Trabis kaufen. Die Ostdeutschen kauften lieber Westautos. Das war das Ende der Trabant-Produktion und auch das Ende von einem Stück automobiler DDR-Geschichte.

die Devisen (*pl*)
here: hard foreign currency

das Rückgrat
backbone, mainstay

die Karosserie
bodywork

1. Why were Western cars only a dream for the average East German?
2. What type of foreign cars were available in the DDR?
3. What is said in the article about the cars produced in East Germany?
4. What did you need most in order to buy a Trabant?
5. How long did it take to get a Trabant?
6. What is said here about second-hand Trabants?
7. What happened to the Trabant after the *Wende*?

8

In this activity you will practise the use of the conjunctions *aber*, *weil*, *obwohl* and *denn*.

Verbinden Sie die Sätze mit „aber", „weil", „obwohl" und „denn".

1. In der DDR konnte man normalerweise keine Westautos kaufen, ____________ man sie mit Devisen bezahlen mußte.
2. DDR-Bürger fuhren meistens Trabants und Wartburgs, ____________ diese Autos konnte man in der DDR am besten bekommen.
3. Es gab in der DDR fast keine Westautos zu kaufen, ____________ man konnte Ladas aus der Sowjetunion kaufen.
4. Der Trabant war das beliebteste DDR-Auto, ____________ er klein und veraltet war.
5. Wenn man einen neuen Trabant haben wollte, brauchte man viel Geduld, ____________ man mußte zwischen 10 und 12 Jahren auf den Wagen warten.
6. ____________ man so lange auf einen Trabant warten mußte, waren gebrauchte Trabants sehr teuer.
7. Nach der Wende wollte keiner mehr Trabis kaufen, ____________ man ihn modernisierte.
8. Das war das Ende der Trabant-Produktion, ____________ die Trabants fanden keine Käufer mehr.
9. ____________ die Trabants keine Käufer mehr fanden, ging die Zwickauer Firma Pleite.

Now you will learn about the amazing resurgence of the Trabant and its new status as a cult car. Practise drafting questions at the same time. Write questions for the answers given below: the words in bold type should give you clues to the questions. (Note that there should be one question for each part of the answer in bold type.) The first one has been done for you.

Lesen Sie die Sätze und schreiben Sie die richtigen Fragen zu den Sätzen.

der Betonmischer *concrete mixer*

auftreiben *to get hold of, search out*

1 Der Trabant ist **ein Kultauto** geworden.

Was ist der Trabant geworden?

2 **Vor fünf Jahren** wurde die Trabant-Produktion **in Zwickau** beendet.

3 Heute tragen seine kleinen Räder mal **einen Betonmischer oder einen Bratwurstgrill**.

4 **Die Sachsenring GmbH in Zwickau**, der Nachfolger des alten Herstellers, hat die letzten Exemplare in der Türkei aufgetrieben.

5 Diese Modelle wurden aufgekauft und **per Schiff und Bahn** wieder zurück **nach Zwickau** gebracht.

6 Für **19 444 Mark** werden dort nun die **444** Trabants – eine Art 'last edition' – **den Käufern** angeboten.

In *Hörabschnitt 4* you will discuss with Frau Dr. Hellermann the advantages and disadvantages of living in the DDR. You may wish to prepare your responses in advance.

Bitte sprechen Sie.

Dr. Hellermann	Also, das System in der DDR war doch einfach schlecht. Es gab keine persönliche Freiheit.
Sie	*(That may be true, but there were positive aspects too.)*
Dr. Hellermann	Aber ich bitte Sie, was war denn schon positiv? Alles wurde kontrolliert.
Sie	*(OK, but companies looked after their workers very well.)*
Dr. Hellermann	Wieso?
Sie	*(People came to the company when they had a problem or when they needed a flat.)*
Dr. Hellermann	Aber denken Sie doch nur mal an die enormen Kosten, die durch dieses System entstanden sind. Das hat die DDR-Wirtschaft ruiniert.
Sie	*(I don't know, but at least there was no unemployment. All men and women had work.)*
Dr. Hellermann	Schon richtig. Aber die Produktivität war viel zu niedrig.
Sie	*(That may be true, but I think the social security system was marvellous and better than in the West.)*

Checkliste

By the end of *Teil I* you should be able to

- ○ understand and describe the history of the DDR and the events connected with reunification (*Lerneinheit 1*, Activities 3 and 8–9)
- ○ describe and express feelings and emotions (*Lerneinheit 2*, Activities 4 and 6–8)
- ○ describe events in the past (*Lerneinheit 3*, Activities 2–3)
- ○ use the conjunctions *aber*, *weil*, *obwohl* and *denn* (*Lerneinheit 3*, Activity 8)
- ○ discuss advantages and disadvantages (*Lerneinheit 3*, Activity 10)

Seiten 85 & 87–88

Seiten 91–92

Seite 94

Seite 97

Seite 99

Teil 2

Die Wende und danach

Teil 2 concentrates on the impact and consequences of German reunification. Because the effects of the *Wende* were felt much more keenly in the east of Germany, the focus is on people living in the east.

In *Lerneinheit 4, Leipzig vorher und nachher*, you will hear reactions to the *Wende* from people who had direct experience of the events of 1989. In *Lerneinheit 5, Kommen und gehen*, the focus shifts to internal migration and job-related moves from east to west, and vice versa. *Lerneinheit 6, Veränderungen im Osten*, features the history of the Leipzig *Messe* and reviews the situation of the industrial sector in the new *Bundesländer* compared with the way things were under the DDR regime.

By the end of *Teil 2*, you will have read about historical contexts in Germany and the effects of huge societal changes on the individual, as well as revising and practising a wide range of constructions, including the passive, relative clauses and the plurals of nouns.

Lerneinheit 4 Leipzig vorher und nachher

In *Teil 1*, you looked at life in the DDR and the events of 1989. *Lerneinheit 4* will concentrate on the changes which have occurred in eastern Germany since 1989, and it focuses on parts two and three of the video for this *Thema*.

There are three topics in this *Lerneinheit*: *Change – for the better?*, *Opinions about the changes* and *Now and then*. By the end of *Lerneinheit 4*, you should have gained more insights into the effects of the *Wende* on the lives of individuals, and you will have practised using the passive and making comparisons.

STUDY CHART

Topic	Activity and resource	Key points
Change – for the better?	**1 Video**	watching the video about widespread changes
	2 Video	checking you've understood the video in general
	3 Text	practising the passive
Opinions about the changes	**4–6 Video**	working on the video in detail
Now and then	**7 Text**	practising making comparisons
	8 Text	writing a summary of the changes in the former DDR

19:15–24:07

Watch the second part of the video. You will hear four people talking about aspects of the changes, plus a commentary. Below are eight headings which summarise each of the extracts of interview and commentary.

Welche Überschrift paßt wo?

1 Kommentar
2 Rudolf Huber
3 Kommentar
4 Gesine Jüttner
5 Gesine Jüttner
6 Wolfgang Rotzsch
7 Daniela Krafak
8 Kommentar
9 Daniela Krafak

a Ich persönlich habe mich nicht geändert.
b Reisefreiheit belebt die Wissenschaft.
c Leipzig wird modernisiert.
d gute und schlechte Seiten der Wende
e die Probleme der neuen Situation
f zu viel vom Westen kopiert
g ein neues Konzept für die Leipziger Messe
h große Auswahl in Leipzigs Innenstadt
i Einkaufen – fast zu leicht gemacht

Rudolf Huber hat in München Kommunikationswissenschaft studiert. Seit 1994 ist er Pressesprecher der Leipziger Messe. In seiner Freizeit liest er und besucht gern Buchmessen und Galerien.

Professor Rotzsch wurde in Meißen geboren. Er hat in Leipzig Medizin studiert und ist Professor für klinische Chemie und Laboratoriumsdiagnostik sowie Leiter des Seniorenkollegs an der Universität Leipzig.

Daniela Krafak kommt aus Berlin und hat in Leipzig studiert. Nach der Wende war sie ein Jahr in London. Sie arbeitet in einem Reisebüro.

21:00–24:07

Now watch this part of the video again.

Bitte kreuzen Sie an. Vorsicht! Manchmal gibt es mehr als eine richtige Antwort!

1 Was hat sich beim Einkaufen für Gesine Jüttner geändert?

a Einkaufen ist heute einfacher als früher. ❑
b Früher konnte man kaufen, was man wollte. ❑
c Einkaufen macht heute irgendwie keinen Spaß mehr. ❑

aufblühen *to blossom*

der Erfolg (-e) *success*

anschieben *to give a push*

sich verwirklichen *to fulfil yourself*

die braune Diktatur = die Nazi-Zeit *the Third Reich*

die Wissenschaft (-en) *science*

der Wohlstand *wealth, affluence*

genießen *to enjoy*

die Schattenseiten *(pl) the downside*

2 Woher kannten ostdeutsche Wissenschaftler ihre westlichen Kollegen vor der Wende?

- **a** Man korrespondierte. ❑
- **b** Man las die Publikationen aus dem Westen. ❑
- **c** Man besuchte Kongresse im Westen. ❑

3 Welche neuen Möglichkeiten haben ostdeutsche Wissenschaftler heute?

- **a** Sie können ihre Kollegen im Westen besuchen. ❑
- **b** Sie können korrespondieren, mit wem sie möchten. ❑
- **c** Sie haben mehr Zeit für Literatur. ❑

4 Wie beurteilt Daniela Krafak die Situation heute?

- **a** Besser als vor der Wende. ❑
- **b** Schlechter als vor der Wende. ❑
- **c** Es gibt viel Besseres, aber auch genauso viel Schlechteres. ❑
- **d** Sie hat keine Meinung zu dem Thema. ❑

5 Der Kommentar nennt einige „Schattenseiten" des Kapitalismus. Wer steht heute schlechter da als vor der Wende?

- **a** Rentner ❑
- **b** Arbeitslose ❑
- **c** Angestellte im öffentlichen Dienst ❑
- **d** Leute, die wenig Geld haben ❑
- **e** Familien mit Kindern ❑

6 Was kritisiert Daniela Krafak?

- **a** Manche Veränderungen waren nicht notwendig. ❑
- **b** Die Veränderungen kamen nicht schnell genug. ❑
- **c** Der Westen hat die guten Aspekte der DDR nicht erkannt. ❑
- **d** Die DDR wollte besser sein als der Westen. ❑

3

Many of the changes which took place in Leipzig after the *Wende* were described on the video. Rewrite these sentences, using the passive with *werden* in the present tense.

Schreiben Sie die Sätze im Passiv.

1. In Leipzig baut man viele neue Gebäude.
2. In der ganzen Stadt plant, restauriert und renoviert man.
3. Man modernisiert und erneuert die Stadt.
4. Man stellt das Messekonzept um.
5. Die Messegesellschaft baut ein neues Messegelände.
6. Die Stadt versucht neue Wege bei der Stadtsanierung.

19:28–23:04

Now watch the same part of the video again and answer some more detailed questions. You don't have to use complete sentences.

Beantworten Sie bitte die Fragen.

1 Wie lange hat der Sozialismus in Ostdeutschland gedauert?
2 Was ist aus der Stadt innerhalb von Monaten geworden?
3 Wann wird das neue Messegelände eingeweiht?
4 Wie war das Angebot in der Innenstadt früher?
5 Wie lange gab es keine Freiheit an der Universität?
6 Warum konnte man früher nicht mit Kollegen („Interessenten") aus anderen Ländern zusammenarbeiten?

24:13–26:42

Now look at the third part of this video. Different people are giving their views on the changed situation in eastern Germany.

Hören Sie genau zu. Schreiben Sie in die Lücken.

der Stadtstreicher *vagrant, tramp*

geprägt sein von *to be marked out by, to be affected by*

sich leisten *to (be able to) afford*

im Altbundesgebiet = in Westdeutschland

das Geheimnis *secret*

Georg Rübling

„In Leipzig hat sich in erster Linie das äußere Stadtbild verändert; wir haben sehr viele ______________, Straßenbaustellen, Häuserbaustellen und sehr viele ______________. Das sind die positiven Dinge; die negativen Dinge in Leipzig sind die ______________, auch die ______________ und, was wir früher nicht kannten, die Stadtstreicher."

Gesine Jüttner

„Ich wünsche mir für unsere Menschen nicht nur in der Stadt, im ganzen Land, daß sie ihr ______________ wiedererlangen, daß sie zurechtkommen mit all diesen Veränderungen in ihren privaten Bereichen, im Leben, im alltäglichen Leben, auf der ______________. Sie mußten ja ihr gesamtes Leben neu organisieren. Wir sind geprägt von neuen ______________, ______________, die über Nacht auf uns übertragen wurden, und das ist sehr schwer, besonders für die älteren Menschen."

Kurt Hensch

„Und wir haben uns also praktisch umstellen müssen auf neue Lebensmittel, auf andere Lebensmittel, und wir haben auch diesen Trend mitbekommen, daß die Leute sich jetzt ______________ ______________ als früher, daß man also nicht mehr so ______________ ______________ zu sich nimmt, nicht mehr so kalorienbewußt* ist. Wir gehen mehr auf die ______________ ______________."

*Kurt Hensch presumably meant to say *„daß man sich kalorienbewußter ernährt."* As it stands, he seems to be contradicting himself!

Georg Rübling ist in Königsberg in Ostpreußen (heute Kaliningrad in Rußland) geboren. Er hat den größten Teil seines Lebens in Leipzig verbracht. Nach der Wende ist er Besitzer einer Taxifirma geworden.

Kurt Hensch ist seit 25 Jahren Koch in Auerbachs Keller. Er wohnt in einem Haus am Rande von Leipzig, wo er viel im Garten arbeitet. Seine Freizeit verbringt er gern mit seinen Kindern und Enkelkindern.

Johanna Schmidt ist gebürtige Leipzigerin und hat ihr ganzes Leben in Leipzig verbracht. Sie arbeitet als Gästebetreuerin für die Stadt. Sie fährt gern Rad und geht einmal in der Woche schwimmen.

Dorothea Vogel ist in Rostock an der Ostsee geboren und hat in Leipzig an der Hochschule für Musik studiert. Sie arbeitet seit 1990 als Geigerin im Gewandhaus-Orchester.

Frau Frenzel und ihr Mann haben drei Kinder: Christine, Antje und Baby Lukas. Sie arbeitet als Teilzeitbeschäftigte bei einem Optiker.

26:43–end

The theme of the final part of the video is the change in East German society. There are key phrases in German which relate to these societal changes. If you get stuck, you could refer to your video transcript.

Bitte schauen Sie den letzten Teil des Videos an und übersetzen Sie.

1 Material things have become central.
2 The achievement-oriented society demands enormous commitment from everyone with a job.
3 Individualism and egotism are increasing.
4 Normal human liberties are safeguarded.
5 In the past there was an ideology that you had to learn.

In the video, people compared the situation nowadays with the way things used to be. Complete these statements with the appropriate adjective from the selection below, using the comparative form where necessary.

Welches Adjektiv paßt in welchen Satz?

1 Seit der Wende ist Wohnen in Ostdeutschland ____________ geworden.

2 Die Unterschiede zwischen arm und reich waren früher nicht so ____________ .

3 Heute ißt man ____________ und nicht mehr so ____________ wie früher.

4 Beim Einkaufen hatte man früher ____________ Auswahl, aber die Produkte waren relativ ____________ .

5 Vor der Wende gab es ____________ Egoismus.

6 Frau Jüttner hofft, daß die Menschen wieder ____________ werden.

billig (billiger) fettreich (fettreicher) groß (größer)
kalorienbewußt (kalorienbewußter) klein (kleiner) selbstbewußt (selbstbewußter)
teuer (teurer) viel (mehr) wenig (weniger)

Finally, write a summary of the changes in Germany after the collapse of the Wall. Use the vocabulary, expressions and statements from the people you have met in this *Lerneinheit*, and include the key points listed below.

Schreiben Sie eine Zusammenfassung mit dem Titel „Durch die Wende hat sich fast alles geändert" (ungefähr 100 Wörter).

- Kriminalität
- Arbeitslosigkeit
- Stadtstreicher
- Neubauten
- Wohnen
- menschliche Beziehungen: Egoismus, Individualismus
- Reisen
- Einkaufen: Geschäfte, Produkte
- Ernährung, Essen

Lerneinheit 5 Kommen und gehen

Lerneinheit 5 focuses on people who have moved from one part of Germany to another, and why they did it. There are two topics: *Go east* and *The overall picture*.

By the end of *Lerneinheit 5*, you will have had a chance to practise identifying the gender of certain nouns and recognising different plural forms, as well as reading articles about migration and checking on relevant vocabulary.

STUDY CHART

Topic	Activity and resource	Key points
Go east	**1 Text**	reading an article about a *Wessi* who went east
	2 Text	checking you've understood the article
	3 Text	practising the perfect tense
	4 Text	practising question words
	5 *Übungskassette*	taking part in an interview about working in the east
The overall picture	**6–7 Text**	reading an article about migration
	8 Text	practising language to do with migration
	9 Text	checking the gender of nouns
	10 Text	practising plural endings
	11 Text	reading a poem about a werewolf

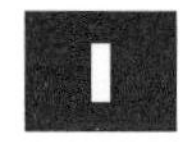

This article is about a West German who moved east to Stralsund.

Lesen Sie den Artikel und füllen Sie den Steckbrief aus.

begründen *here: to claim*

die Zweigniederlassung (-en) *subsidiary*

gemächlich *slower paced*

die Stimmung *mood*

die Stimmung ist gedrückt *things feel depressed*

die Unterbringung *here: care*

sanieren *to renovate, redevelop*

Go East

„Die Arbeitslosigkeit ist hoch, das Klima rauh. Aber das Leben läuft langsamer. Das gefällt uns – wir bleiben hier!"

„Man geht dahin, wo Arbeit ist!" begründet Harald Heidtmann (36) aus Hamburg den Umzug in die ehemalige DDR. Hier übernimmt er die Bauleitung für eine Hamburger Firma, die in Stralsund eine Zweigniederlassung gegründet hat. Mit seiner Frau Britta Kromand (34) und dem Sohn Lars (sechs Monate) lebt er in einer Altbauwohnung mitten in der Stadt. Knapp 700 Neuzugänge aus dem Westen gab es 1993 in Stralsund – weggegangen aus der alten Hafenstadt sind damals 3073 Leute. „Hier geht alles gemächlicher zu" beschreibt Harald Heidtmann seinen Eindruck vom Leben im Osten, „aber es ist auch härter. Allein schon wegen der hohen Arbeitslosigkeit. Die Stimmung ist gedrückt."

Unter der hohen Arbeitslosigkeit (18,1 Prozent) nach der Wende leidet auch seine Frau. Britta Kromand möchte wieder in ihren Beruf als Krankenschwester zurück. Um die Unterbringung von Lars muß sie sich keine Gedanken machen. „Ich kann mir aussuchen, in welche Krippe ich ihn gebe. Die werben richtig darum, ihn betreuen zu dürfen!" erklärt sie. Aber einen Job hat sie noch nicht: „Höchstens in der Psychiatrie, und dafür bin ich nicht ausgebildet. Aber das macht hier nichts aus", wundert sie sich. Ihr Mann Harald erlebt auf den Baustellen häufig ein rauhes Klima: „Die riechen den Wessi schon von weitem und machen mir dann das Leben schwer. Einige haben anscheinend einen richtigen Haß auf die Westdeutschen, ich muß alles immer ganz genau kontrollieren. Die Konkurrenz ist eben groß." Trotzdem fühlt er sich wohl und will bleiben: „Die Wohnung ist schön, und die Stadt wird auch schön, wenn sie erst mal saniert ist. Und außerdem hat man hier einfach mehr Zeit. Ich habe gelernt, wieder genau zuzuhören. Wenn man das tut, kommt man gut zurecht."

Name: ______________________

Alter: ______________________

Familie: ______________________

Heimatstadt: ______________________

jetziger Wohnort: ______________________

Beruf: ______________________

2

Read the article again and correct the factual errors in the statements below.

Bitte korrigieren Sie die Aussagen.

1. Herr Heidtmann ist mit seiner Familie nach Stralsund gekommen, weil er hier eine Zweigniederlassung gegründet hat.
2. 1993 kamen 3073 Leute neu nach Stralsund, und etwa 700 verließen die Stadt.
3. Die Stimmung ist recht gut, weil die Arbeitslosigkeit niedrig ist und nur 8,1% beträgt.
4. Herrn Heidtmanns Frau, Britta Kromand, kann nicht arbeiten, weil sie keine Kinderkrippe für ihren Sohn Lars findet.
5. In der Psychatrie in Stralsund herrscht ein rauhes Klima.
6. Herr Heidtmann hat einen richtigen Haß auf die Westdeutschen.
7. Er will so schnell wie möglich wieder aus Stralsund weg.

3

Now practise the perfect tense by putting each of the following jumbled-up sentences into the correct order und changing the infinitive of the verb to the correct form of the perfect tense.

Bitte schreiben Sie vollständige Sätze im Perfekt.

1. Herr Heidtmann – ziehen – mit seiner Familie – nach Stralsund
2. die Bauleitung – übernehmen – er – für eine Hamburger Firma
3. gründen – eine Zweigniederlassung – die Hamburger Firma – in der alten Hansestadt
4. 1993 – 700 Wessis – kommen – nach Stralsund – 3073 Leute – aus Stralsund weggehen – und
5. in Hamburg – als Krankenschwester – Frau Kromand – arbeiten
6. Herr Heidtmann – finden – und seine Familie – eine schöne Wohnung – in Stralsund

In this activity the question words are wrong. It's your job to replace them with the right ones!

Bitte korrigieren Sie die Fragen.

1. Wo alt ist Herr Heidtmann? 36 Jahre.
2. Wohin ist er von Beruf? Bauleiter.
3. Wie kommt er? Aus Hamburg.
4. Wer ist er nach Stralsund gegangen? Weil er dort einen Job bekommen hat.
5. Mit warum wohnt er in Stralsund? Mit seiner Familie.
6. Woher Neuzugänge aus dem Westen gab es 1993 in Stralsund? Knapp 700.
7. Was hat die Hamburger Firma eine Zweigniederlassung gegründet? In Stralsund.

 **5**

Now take part in an interview using the *Übungskassette*. Listen to *Hörabschnitt 5* and imagine that you are Herr Heidtmann. You will be interviewed about your experiences of working in Stralsund. You may wish to prepare your answers in advance, but try to write notes only, not complete sentences.

Bitte sprechen Sie.

Interviewer	Herr Heidtmann, warum sind Sie nach Stralsund gezogen?
Sie	*(You go where the work is.)*
Interviewer	Und, äh, was für einen Job haben Sie in Stralsund?
Sie	*(I'm head of the branch of a Hamburg construction company.)*
Interviewer	Und wie gefällt Ihnen das Leben in Stralsund?
Sie	*(It's slower paced but it's also harder.)*
Interviewer	Wieso ist es härter?
Sie	*(Unemployment is high and morale is low.)*
Interviewer	Und wollen Sie zurück in den Westen?
Sie	*(No, I feel all right here and I want to stay.)*
Sie	*(The flat is nice and the town will be nice. And also people have got more time here.)*

 **6**

In the article in Activity 1 you read about a west German family who moved East. This family is an example of a much wider trend in post-unification Germany. Here is a newspaper article which gives an overview of how many people have moved in which direction.

Lesen Sie den Artikel und füllen Sie die Tabelle aus.

ausgleichen *to balance out*

einpendeln *here: to settle down*

das Fazit *total, balance*

umziehen *to move*

das Einwohnerwesen *(no pl) housing office, department*

„Go West" – Die Wanderlust hält an

Die Zahl der Abwanderungen aus den neuen Bundesländern ist zwar deutlich zurückgegangen, aber noch lange nicht durch Zuwanderungen aus Westdeutschland ausgeglichen. So machten sich 1989 mehr als 380 000 Menschen auf die Suche nach einer neuen Heimat im Westen. 1992 weist die Statistik nur noch knapp 200 000 dieser sogenannten Binnenwanderer auf. Seit 1994 hat sich die Zahl nun auf etwa 160 000 eingependelt. Bleibt als Fazit, daß seit der Wende mehr als 1,5 Millionen ostdeutsche Bürgerinnen und Bürger ihren Wohnsitz nach Westdeutschland verlegt haben, dafür aber nur 500 000 in den Osten gekommen sind.

... Vor allem jüngere und fachlich ausgebildete Personen verlassen den Osten. Davon sind die nordöstlichen Regionen der Republik am stärksten betroffen.

... Lediglich im Großraum Berlin liegen die Dinge etwas anders: Insgesamt ist hier der Zustrom in den Osten größer als umgekehrt. „Das liegt natürlich daran, daß im Ostteil der Stadt die Mieten noch billiger sind und die Menschen problemlos pendeln können," sagt Peter Knef, Leiter des Einwohnerwesens der Bundeshauptstadt.

	Jahr	Zahl der Abwanderungen
1		
2		
3		
4	Fazit:	

7

Bitte lesen Sie den Artikel noch einmal und beantworten Sie die Fragen auf deutsch.

1 Wie ist der momentane Trend bei der Zahl der Abwanderungen aus den neuen Bundesländern?
2 Wie nennt man Leute, die in einem Land von einer Region in eine andere ziehen?
3 Welche besonderen Eigenschaften haben die Ostdeutschen, die in den Westen ziehen?
4 Welche Gegenden in Deutschland sind von dieser Abwanderung am stärksten betroffen?
5 Wo ist die Situation anders? Was ist anders?
6 Warum ist die Situation anders?

8

In the article there are several words which relate to migration within a country. *Abwanderung* can become a verb (*abwandern*) or change to refer to a person (*der Abwanderer*). Here are some more associated words. They are all derived from the verb *wandern* but take different prefixes to give different meanings. Fill in the missing words in the table and write sentences using each of the verbs.

Finden Sie die anderen Wörter und schreiben Sie auf deutsch je einen Beispielsatz.

Person	Verb	Noun
Abwanderer	abwandern	Abwanderung
	einwandern	
		Auswanderung
	zuwandern	

Note that the noun *Binnenwanderer* is an exception in that it can't be made into a verb.

LERNTIP

Although you have to learn the gender of German nouns, there are some rules which provide you with guidelines as to what the gender of a noun might be.

- Nouns ending in *-ismus* are usually masculine, e.g. *der Sozialismus.*
- Nouns ending in *-ling* are usually masculine, e.g. *der Sträfling.*
- Nouns ending in *-ung* are usually feminine, e.g. *die Zeitung, die Leitung, die Auswanderung.*
- Nouns ending in *-keit* or -heit are usually feminine, e.g. *die Heiserkeit, die Sicherheit.*
- Nouns ending in *-schaft* are usually feminine, e.g. *die Botschaft.*
- Ninety per cent of nouns ending in -e are feminine, e.g *die Garage, die Liebe.*
- Nouns ending in *-chen* are usually neuter, e.g. *das Mädchen.*
- Ninety per cent of nouns with the prefix *Ge-* are neuter, e.g. *das Gebäude, das Gespräch.*

9

Write down the gender of these words.

Welches Geschlecht hat das Wort?

Abwanderung	Gelände	Lehrling
Arbeitslosigkeit	Geschlecht	Viertel
Auswirkung	Gesellschaft	Zerstörung
Eigenschaft	Kapitalismus	Zuständigkeit
Freiheit	Kriminalität	

As you will have realised, gender and plural are very often linked. Revise your knowledge of plural endings by rewriting these sentences, putting the nouns in brackets into the plural.

Üben Sie nun die Bildung des Plurals. Schreiben Sie die Sätze um und nehmen Sie den Plural für jedes Wort in Klammern.

Nach dem Ende von vierzig (*Jahr*) DDR haben sich die (*Lebensbedingung*) für die (*Ostdeutsche*) radikal verändert. Mit den neuen (*Freiheit*) kamen auch unbekannte (*Problem*) wie Arbeitslosigkeit und steigende (*Miete*). Ein Ergebnis dieser (*Veränderung*) war die Binnenwanderung von Hunderttausenden von (*Deutsche*). Im Jahr 1989 verließen mehr als 380 000 (*Mensch*) die neuen (*Bundesland*) auf der Suche nach (*Arbeitsplatz*) und einer neuen Heimat im Westen. Bis 1996 sind insgesamt 1,5 (*Million*) Bürger und (*Bürgerin*) aus Ostdeutschland in den Westen abgewandert. Auf der anderen Seite sind etwa 500 000 Westdeutsche in die neuen (*Bundesland*) gezogen, um dort zu leben und zu arbeiten.

Here is part of a poem by Christian Morgenstern (1871–1914) about a werewolf, which also illustrates the declension of *wer*. The werewolf in question goes to the grave of a village schoolmaster and asks him to decline his name. The schoolmaster does this, providing the masculine, genitive, dative and accusative forms: this pleases the werewolf no end.

Bitte lesen Sie das Gedicht.

„... Der Werwolf" sprach der gute Mann,

„des Weswolfs, Genitiv sodann,

dem Wemwolf, Dativ, wie mans nennt,

den Wenwolf, – damit hats ein End!"

Dem Werwolf schmeichelten die Fälle,

er rollte seine Augenbälle.

„Indessen", bat er, „füge doch

zur Einzahl auch die Mehrzahl noch!"

The werewolf then asks for the plural forms (since he has a wife and child). But he is doomed to disappointment and cries all the way home.

Zwar Wölfe gäbs in großer Schar,

doch „wer" gäbs nur im Singular.

(While you can have wolves in any number, wer *is possible only in the singular.)*

Lerneinheit 6 Veränderungen im Osten

Lerneinheit 6 aims to give you some insights into the massive economical and industrial changes which have taken place in East Germany since the *Wende*. Leipzig, which played an important role in reunification, is now a gigantic building site, and a new international *Messegelände* (exhibition centre) has been built outside Leipzig. The *Hörbericht* provides an account of the history of the *Messe* and how it is changing today.

There are two topics in *Lerneinheit 6*: *Die Leipziger Messe* and *Finding a new job*. *Lerneinheit 6* will give you practice in listening to and reading complex audio features and magazine articles. You will also practise using possessive adjectives and rewriting and simplifying difficult language.

STUDY CHART

Topic	Activity and resource	Key points
Die Leipziger Messe	**1–5 *Hörbericht***	working on the audio feature
	6 Text	practising relative clauses
	7 Text	practising the superlative forms of adjectives
	8 Text	learning to express doubt
Finding a new job	**9 *Übungskassette***	listening to an account from an East German steel worker
	10 Text	practising using possessive adjectives

Hörbericht 8

First of all, listen to the *Hörbericht* for this *Thema*: '*Die Leipziger Messe*'. Listen to the whole feature for an understanding of the gist. The dates below refer to particular events in the history of the Leipzig trade fair. Can you match them to the brief descriptions of events?

Welche Aussage paßt wo?

1 um 1160
2 im Mittelalter
3 1894
4 in den 20er Jahren
5 1947
6 in den Jahren der DDR
7 nach der Wende

a Drehscheibe zwischen Ost und West
b die Stadt der Warenmessen
c die führende Messestadt der Welt
d die Anfänge der Messe
e Konkurrenz für westdeutsche Messestädte
f Mustermesse
g Neubeginn der Messe nach dem Krieg

die Mustermesse *trade fair where samples of goods are on show*

die Warenmesse *trade fair where goods are for sale*

begutachten *to inspect, give an expert opinion on*

Hörbericht 8

Now concentrate on the first part of the *Hörbericht*, up to where Herr Hocquél says „*... sondern es reichte, wenn man ein Muster gesehen hatte ...*“.

Bitte hören Sie noch einmal und beantworten Sie die Fragen.

1. Woraus entstanden die Messen?
2. Wie oft fanden diese Messen statt?
3. Wo wurden im Mittelalter die Waren gehandelt?
4. Was konnte man auf den Messen kaufen?
5. Was veränderte sich für Kaufleute und Händler durch die Mustermesse?

Hörbericht 8

Next, listen to the part of the *Hörbericht* which covers the period from the turn of the century to 1947 (where Frau Wagner says „*... und das Interesse war damals auch recht groß schon.*“). Then match up the dates on the left below with the information on the right.

Bilden Sie Sätze – achten Sie dabei bitte auf die Satzstellung.

1	Bis 1914	a	die Weltwirtschaftskrise war
2	In den 20er Jahren	b	die erste Nachkriegsmesse fand statt
3	In den 30er Jahren	c	80% aller Messehallen waren zerstört
4	Während des Zweiten Weltkriegs	d	Leipzig war die führende Messestadt der Welt
5	Nach dem Zweiten Weltkrieg	e	Churchill wollte die Messe bombardieren
6	1947	f	20–25 Messepaläste wurden gebaut

Hörbericht 8

Now concentrate on the part of the *Hörbericht* which covers what happened to the *Messe* during the DDR regime (up to where Herr Mayerhofer says „*... noch eine gewisse Weltoffenheit*“).

Bitte kreuzen Sie die richtigen Antworten an.

		RICHTIG	FALSCH
1	Für die DDR-Bürger war die Messe ganz uninteressant.	❑	❑
2	Zu DDR-Zeiten war die Messe die Drehscheibe des Ost-West-Handels.	❑	❑
3	Es kamen nur Kaufleute aus dem Westen.	❑	❑
4	Auf der Messe konnten viele Kontakte mit Ostblockländern geknüpft werden.	❑	❑
5	Für Leipziger bedeutete die Messe internationales Flair.	❑	❑
6	Sie gab ihnen die Gelegenheit, Waren aus dem Westen zu sehen.	❑	❑

5

Hörbericht 8

Finally, concentrate on the last part of the *Hörbericht*, which deals with the Leipzig *Messe* after the *Wende*.

Hören Sie und beantworten Sie die Fragen.

1. Was mußte die Messe machen, um konkurrenzfähig zu werden?
2. Was passierte mit der großen allgemeinen Messe?
3. Wo wird das neue Messegelände gebaut?
4. Warum ist der Standort des neuen Messegeländes problematisch?
5. Was erhoffen sich die Leipziger von der Messe?

USING relative pronouns

In the *Hörbericht* the commentator said *„Dies ist die Geschichte der Leipziger Messe: Eine Geschichte, die über 800 Jahre alt ist."* The last part of this sentence is a relative clause. A relative clause like this refers back to a noun in the main clause – in this example to *Geschichte*. In German a relative clause always needs a relative pronoun, whereas in English it can be omitted.

Man wußte nie, ob die Bücher, *die* man auf der Messe bestellte, ankommen würden.

You never knew whether the books you ordered at the trade fair would arrive.

The relative pronoun agrees in gender and number with the noun to which it refers. Its case is determined by its function within the clause which it introduces. For example:

Die Händler, *die* im Mittelalter auf die Leipziger Messe kamen, transportierten ihre Waren auf Wagen.

The merchants ***who*** *came to the trade fair at Leipzig transported their goods on carts.*

Here is a complete list of the different forms of the relative pronoun. They are the same as the definite article for the nominative and the accusative, but different for the genitive and dative.

	Masculine	Feminine	Neuter	Plural
Nominative	der	die	das	die
Accusative	den	die	das	die
Dative	dem	der	dem	deren
Genitive	dessen	deren	dessen	denen

Now practise the use of the relative pronoun – in the nominative. Combine two sentences using a relative clause. The first two have been done for you. Don't forget to change the word order in the relative clause – the verb goes to the end.

Bitte schreiben Sie die Relativsätze.

1. Die Leipziger Messe hat eine lange Tradition. Die Leipziger Messe ist bis heute wichtig für die Stadt.

   Die Leipziger Messe, die bis heute wichtig für die Stadt ist, hat eine lange Tradition.

2 Die Leipziger Messe hat eine lange Geschichte. Die Geschichte beginnt schon im Mittelalter.

Die Leipziger Messe hat eine lange Geschichte, die schon im Mittelalter beginnt.

3 Man konnte auf den Messen Lebensmittel, Stoffe und Töpfe kaufen. Die Lebensmittel, Stoffe und Töpfe wurden auf Wagen transportiert.

4 Nach 1894 brachten die Kaufleute nur noch Musterstücke der Waren mit. Die Musterstücke wurden von den Käufern begutachtet.

5 Die Waren wurden überwiegend industriell hergestellt. Die Waren wurden auf der Messe verkauft.

6 Die Kaufleute sahen das Muster an. Das Muster wurde von den Händlern auf die Messe gebracht.

7 Der Neubeginn der Leipziger Messe fand 1947 statt. Der Neubeginn der Leipziger Messe war sehr schwierig.

8 Die Leipziger Messe hatte zu Zeiten der DDR viele Gäste aus dem Westen. Der Westen war für DDR-Bürger relativ zu.

9 Nach der Wende hat sich die Leipziger Messe auf kleine Fachmessen konzentriert. Die Fachmessen finden das ganze Jahr über statt.

This activity practises using adjectives in the superlative form.

Bitte schreiben Sie die Sätze mit der richtigen Form des Adjektivs.

1 Leipzig hat die (*interessant*) Messegebäude in Deutschland.

Leipzig hat die interessantesten Messegebäude in Deutschland.

2 Die Leipziger Messe ist die (*alt*) Messe in Deutschland.

3 Im Mittelalter wurden die (*viel*) Waren auf Wagen zur Messe transportiert.

4 Die Messepaläste waren die (*groß*) Ausstellungsgebäude der Welt.

5 In den 20er Jahren war Leipzig die (*wichtig*) Messestadt der Welt.

6 Zu Zeiten der DDR war die Messe der (*gut*) Treffpunkt für Firmen aus Ost und West.

7 Die (*stark*) Konkurrenz für die Leipziger Messe sind die Messen in Hannover, Düsseldorf und Frankfurt.

8 In Leipzig hat man das (*modern*) Messegelände der Welt gebaut.

9 Das moderne Messegelände kombiniert die (*neu*) Technik mit (*hoch*) Qualität.

LERNTIP

Für's Notizbuch

Here are some ways of expressing doubt:

ich bin nicht sicher, daß ... *I am not sure that ...*

ich bin nicht davon überzeugt, daß ... *I am not convinced that ...*

ich kann mir nicht vorstellen, daß ... *I cannot imagine that ...*

ich bezweifle, daß ... *I doubt whether ...*

8

In the *Hörbericht* the commentator said *„Trotz aller Probleme sind die meisten Leipziger davon überzeugt, daß der Erfolg der Messe weiter anhalten wird."* (Despite all the problems, most people in Leipzig are convinced that the success of the *Messe* will continue). However, not everyone is so optimistic. Some people are doubtful as to the potential success of the new *Messegelände.*

In this activity you will practise expressing doubts. Construct sentences using the *Lerntip* phrases and the information below, making sure that you change the infinitives to the right form of the verb.

Bitte schreiben Sie Sätze!

1. nicht sicher – das neue Messekonzept ein Erfolg werden
2. nicht davon überzeugt – eine gute Idee sein, das neue Messegelände vor der Stadt zu bauen
3. nicht vorstellen – die neue Messe viele Gäste in die Stadt bringen
4. bezweifeln – Leipzig von der neuen Messe profitieren
5. nicht davon überzeugt – Leipzig mit Frankfurt oder Hannover konkurrieren können
6. bezweifeln – der Erfolg der Messe weiter anhalten
7. nicht vorstellen – alle Leipziger die neue Messe toll finden
8. nicht sicher – die neue Messe viele neue Arbeitsplätze schaffen

Individuals as well as institutions have felt the effect of the *Wende.* Listen to Klaus Lange's experiences since the *Wende.*

Hören Sie Hörabschnitt 6 und kreuzen Sie bitte an. Korrigieren Sie die falschen Aussagen.

das Eisenhüttenkombinat *iron-processing combine*

der Stahlbau *steel industry*

effizient *efficient*

dran sein *to be next in turn*

		RICHTIG	FALSCH
1	Klaus Lange ist dreißig Jahre alt.	❑	❑
2	Das Eisenhüttenkombinat hatte 12 000 Mitarbeiter.	❑	❑
3	Der Betrieb hat früher einen Großteil der DDR-Autos produziert.	❑	❑
4	Nach der Wende stiegen die Exporte nach Osteuropa an.	❑	❑
5	Die ostdeutschen Stahlwerke waren zu alt.	❑	❑
6	9 000 Stahlarbeiter des Eisenhüttenkombinats verloren ihren Arbeitsplatz.	❑	❑
7	Klaus Lange ist seit sechs Jahren arbeitslos.	❑	❑
8	Er glaubt, daß er wieder einen Job als Stahlarbeiter finden wird.	❑	❑

This activity will help you to practise possessive adjectives. Fill in the gaps in the sentences below with the right form of the missing possessive adjectives.

Welches Wort paßt wo?

1 _____________ Name ist Klaus Lange.

2 Ich habe Stahlarbeiter gelernt und mehr als dreißig Jahre in _____________ Beruf gearbeitet.

3 Aber nach der Wende haben _____________ Kollegen und ich _____________ Jobs verloren, weil _____________ Betrieb nicht mehr konkurrenzfähig war.

4 Auf einmal hieß es: „ _____________ Betrieb ist zu alt."

5 Und dann kam noch dazu, daß _____________ Exporte nach Osteuropa zurückgingen.

6 Seitdem bin ich arbeitslos. Ich habe viel mit _____________ Frau und _____________ Kindern darüber diskutiert, ob wir wegziehen sollten. Aber dann müßte sie _____________ Arbeit bei der Post aufgeben. _____________ Kinder haben immer gesagt: „Das müßt ihr selbst entscheiden, was ihr mit _____________ Leben noch anfangen wollt."

7 Aber ich möchte nicht aus _____________ Heimat wegziehen, hier haben wir _____________ Freunde und _____________ sozialen Kontakte. Das würde ich sehr vermissen.

Checkliste

By the end of *Teil 2*, you should be able to

○ understand more about how reunification has affected people's lives in the new *Bundesländer* (*Lerneinheit* 4, Activities 2, 4 and 8)	Seiten 102, 104 & 107
○ use the passive more confidently (*Lerneinheit* 4, Activity 3)	Seite 103
○ use the comparative form of adjectives (*Lerneinheit* 4, Activity 7)	Seite 106
○ read and understand more complex texts (*Lerneinheit* 5, Activities 1 and 6)	Seiten 108 & 110
○ use the perfect tense in new contexts (*Lerneinheit* 5, Activity 3)	Seite 109
○ identify appropriate question words (*Lerneinheit* 5, Activity 4)	Seite 109
○ extract statistical information from a newspaper article (*Lerneinheit* 5, Activity 6)	Seite 110
○ understand the language needed to talk about migration (*Lerneinheit* 5, Activity 8)	Seite 111
○ identify the genders of words which follow certain rules (*Lerneinheit* 5, Activity 9)	Seite 112
○ identify the plurals of words which follow certain rules (*Lerneinheit* 5, Activity 10)	Seite 112
○ use relative pronouns (*Lerneinheit* 6, Activity 6)	Seite 116
○ use the superlative form of adjectives (*Lerneinheit* 6, Activity 7)	Seite 117
○ express doubts (*Lerneinheit* 6, Activity 8)	Seite 118
○ use possessive adjectives in more settings (*Lerneinheit* 6, Activity 10)	Seite 119

Teil 3

Berlin

Teil 3 concentrates on Berlin, the new (and old) capital of Germany. Berlin is one of the most dynamic cities in Europe at the moment, as it forges a new identity for itself in the 21st Century. It is well suited to the theme of *Wendepunkte* – if Leipzig was the focus for change in 1989, Berlin has moved into the spotlight since it became the official capital of the newly united Germany in 1991. Since then it has not only become home to the national government, but has also developed into a cultural hothouse with a multitude of subcultures in a way that no other German city has ever done before. Running through *Teil 3* are the stories of four Berliners, who reflect on the changes around them.

Lerneinheit 7, Berlin – Perspektiven viermal anders, introduces you to the four Berliners through whose eyes you will learn about some of the latest developments in Berlin. The title of *Lerneinheit 8, Schnappschüsse aus Berlin*, reflects the variety of the content: a description of Berlin in the past by Erich Kästner, a tour of the centre of the reunified city, some pictures of Berlin and opinions about current problems and hopes for the future. Finally, *Berlin – drei Debatten* highlights three important issues: the question of re-establishing Berlin as the seat of national government, the furore surrounding the wrapping-up of the Reichstag and the discussion over the future of the Berliner Stadtschloß in Unter den Linden.

By the end of *Teil 3*, you will have had practice in describing people's lives, talking about hopes and fears, putting forward opinions and making criticisms. You should also have increased your knowledge and understanding of Germany's capital city and the challenges it faces at the beginning of the 21st Century.

Lerneinheit 7 Berlin – Perspektiven viermal anders

So what was it actually like to live in Berlin before and after the *Wende*? In addition to the four Berliners who will talk about their lives, you will also read about Christa Wolf, the world-famous German writer who addressed a 500,000 strong crowd at a rally in the Alexanderplatz just before the Wall came down.

Lerneinheit 7 has three topics: *Berliners describe their city*, *How people's lives have changed* and *Christa Wolf – writer*. Work in this *Lerneinheit* includes describing people, practising relative pronouns, writing an account of someone's life and practising adjectival endings.

STUDY CHART

Topic	Activity and resource	Key points
Berliners describe their city	1 *Übungskassette*	listening to three Berliners talking about their city
	2 *Übungskassette*	checking you have understood the Berliners
	3 *Übungskassette*	practising adjectival endings
	4 *Übungskassette*	listening to a fourth Berliner talking about her life
How people's lives have changed	5 Text	reading about the changes in people's personal lives
	6 Text	practising relative pronouns
	7 *Übungskassette*	describing Erdal Saltuklar and Steffi Breitenbach
Christa Wolf – writer	8 Text	writing a summary of Christa Wolf's life

In *Hörabschnitt 7* on the *Übungskassette*, you can hear three people's accounts of the changes in Berlin and how they have been affected by them.

Wer spricht über was? Bitte hören Sie und kreuzen Sie an.

	Erdal Saltuklar	Helga Kürschner	Lars Wenzel
Arbeit			
Ausländer			
Hauptstadt			
Kultur			
Studium			
Verkehr			
Wohnen			

Now answer these questions about what the three people said in *Hörabschnitt 7*.

Beantworten Sie die Fragen.

Erdal Saltuklar

1. Wie heißen die drei Universitäten in Berlin?
2. Warum fahren Westberliner manchmal nach Ostberlin?
3. Was machen die Ostberliner hauptsächlich in Westberlin?

Helga Kürschner

4. Wie ist Helga Kürschner vor der Wende nach Westdeutschland gefahren?
5. Was macht sie heute manchmal mit ihrer Schwester?

Lars Wenzel

6. Welche drei Ausländergruppen treffen sich in Berlin nach Aussage von Lars Wenzel?
7. Wohin können Berliner essen gehen (nach Lars Wenzels Worten)?

 **3**

Now practise using adjectives with the correct endings. Listen to Lars Wenzel's description of the changes in Berlin again and fill in the correct form of the adjectives.

Hören Sie noch einmal, was Lars Wenzel sagt, und schreiben Sie die richtigen Adjektive in die Lücken.

Was sich verändert hat? Die Straßen sind ______________ , man findet keinen Parkplatz mehr, alles ist ______________ geworden, und ______________ . Mieten, Lebenshaltungskosten und auch die Kultur: Theaterkarten kann heute ja keiner mehr bezahlen, außer ein paar ______________ Wessis ... Die ______________ Kiez-Bewohner werden allmählich aus den ______________ Stadtvierteln verdrängt. Berlin wird die Metropole der Erfolgreichen und Arrivierten! Allerdings bringt das ______________ Weltstadt-Flair auch Gutes mit sich: Nun treffen sich ______________ Studenten, ______________ Bauarbeiter und ______________ Auswanderer in Berlin, die Leute gehen in ______________ Restaurants oder ______________ Imbiß-Stuben essen, kaufen auf den Polen-Märkten ______________ ein. Die Atmosphäre ist ______________ , ______________ geworden.

stellvertretend *deputy, second in charge*

Zweigstelle *branch*

In the following activities you will hear more about the lives of the three Berliners you have already met. You will also hear about a fourth person, Steffi Breitenbach, and what happened to her.

Listen to Steffi Breitenbach's account of her family's life after the *Wende* in *Hörabschnitt 8*. Then compare it with the description of her and her family below, which contains many errors.

Bitte hören Sie und korrigieren Sie die Sätze.

Ich bin gebürtige Frankfurterin und lebe mit meinem Freund und meinen vier Kindern in Pankow im früheren Westen Berlins. Na, für uns hat sich einiges geändert mit der Wende, vor allem privat. Mein Freund war zunächst selbständig, hat sich dann aber arbeitslos gemacht und arbeitet heute als Zweigstellenleiter auf einer Bank. Ein paar Jahre lang war die Situation sehr einfach, heute geht es uns finanziell schlechter. Ich bin jetzt auch seit einem halben Jahr arbeitslos.

Now read more about the lives of Helga Kürschner, Erdal Saltuklar and Lars Wenzel and then fill in the table on page 125. You may need to go back to *Hörabschnitt 8* for the information about Frau Breitenbach.

Bitte lesen Sie und füllen Sie die Tabelle aus!

Helga Kürschner

Meine Familie stammt aus Brandenburg, und ich lebe schon seit meinem achtzehnten Lebensjahr in Berlin. Hier ist meine Tochter geboren und hier leben auch meine beiden Enkel. Ich habe den Krieg und die Teilung in Berlin erlebt. Das war schlimm. Meine Schwester hat im Ostteil gelebt und ist auch dort geblieben. Das hieß, sie konnte mich bis zur Wende nicht besuchen, nicht mal zur Beerdigung von meinem Mann 1972 konnte sie kommen. Ich durfte zwar mit Tagesvisum nach Ostberlin, aber sie wußte nicht einmal, wie meine Wohnung aussieht. Heute sind wir ja beide Rentnerinnen, und sie kommt jeden Mittwoch nachmittag zu mir nach Schöneberg zum Kaffeetrinken.

Erdal Saltuklar

Ich bin 23 Jahre alt, Türke, und bin mit meinen vier Geschwistern in Berlin-Kreuzberg, also im Westen, aufgewachsen. Für mich persönlich hat sich relativ wenig geändert. Als die Mauer fiel, war ich siebzehn. Bis dahin kannte ich

anmachen *colloquial: to threaten, harrass*

abgewickelt *literally: unravelled; here: made redundant in the process of unification*

besetzen *to occupy, squat*

geil *literally: randy; here: super, brilliant*

heruntergekommen *run down*

Ostberlin überhaupt nicht. Auch heute sind meine Freunde hauptsächlich Westberliner. Ich studiere im siebten Semester Architektur, und von daher ist die Wende beruflich für mich sicher von Vorteil. Nirgends gibt es so viel Arbeit für Architekten wie in Berlin. Andererseits spricht man heute mehr von Ausländerfeindlichkeit, und einer meiner Brüder ist auch schon mal von einer Gruppe von Skinheads angemacht worden. Ich persönlich habe keine schlechten Erfahrungen gemacht und hoffe, daß es auch so bleibt.

Lars Wenzel

Ich bin ein abgewickelter DDR-Kameramann, 41 Jahre alt, geschieden, zur Zeit arbeitslos. Das heißt, ich arbeite zwischendrin immer wieder mal, wochen- oder tageweise, für ehemalige Kollegen. Ich wohne ja seit fast zehn Jahren in einem besetzten Haus auf dem Prenzlauer Berg: Das ist ein tolles Stadtviertel im ehemaligen Ostberlin, nur eine Viertelstunde zu Fuß zum Stadtzentrum – geile, alte und ziemlich heruntergekommene Häuser – und da hatte sich eine lebendige Alternativ-Szene entwickelt. Ich wohne auch heute noch da mit meiner Freundin und neun anderen Mitbewohnern.

	Steffi Breitenbach	Helga Kürschner	Erdal Saltuklar	Lars Wenzel
Alter	32	76		
Beruf				
Familie				
Wohnort				
West/Ost				

Now practise using relative pronouns in the nominative case by combining two sentences. The first one has been done for you.

Bitte schreiben Sie Relativsätze.

1. Steffi Breitenbach wohnt mit ihrem Mann und ihren beiden Kindern in Pankow. Der Mann war zunächst arbeitslos.

   Steffi Breitenbach wohnt mit ihrem Mann, der zunächst arbeitslos war, und ihren beiden Kindern in Pankow.

2. Ihr Sohn geht jetzt aufs Gymnasium. Das Gymnasium wurde erst vor fünf Jahren gegründet.
3. Frau Kürschner hat ihre Schwester zu DDR-Zeiten nicht zu sich nach Westberlin einladen können. Die Schwester wohnte im Osten der Stadt.
4. Erdal Saltuklar ist 23 Jahre alt. Er hat vier Geschwister.
5. Er studiert Architektur an der Freien Universität. Die Freie Universität liegt im Westen der Stadt.
6. Lars Wenzel arbeitet manchmal für Kollegen. Die Kollegen haben sich selbständig gemacht.

7 Er wohnt in einem Haus auf dem Prenzlauer Berg. Das Haus ist alt und heruntergekommen.

8 Er hat viele Freunde auf dem Prenzlauer Berg. Die Freunde sind in der Alternativszene aktiv.

 **7**

Now describe Erdal Saltuklar and Steffi Breitenbach to a friend. Here are the questions and the English prompts from *Hörabschnitt 9*, in case you want to prepare your answers first.

Bitte sprechen Sie.

Freund Erzähl mal, was sind denn das so für Leute?

Sie (Well, Erdal is 23 years old and he's a Turk from Kreuzberg.)

Freund Aha. Und, ähm, was macht er beruflich?

Sie (He's studying architecture and thinks that the Wende *is an advantage for him professionally.)*

Freund Hmm, wieso?

Sie (Because there's a lot of work for architects in Berlin.)

Freund Du sagst, daß er Türke ist. Hat er keine Probleme mit Ausländerfeindlichkeit?

Sie (He personally hasn't had any bad experiences yet.)

Freund Ah ja. Und was weißt du über Steffi Breitenbach?

Sie (She's a typical Berliner, born in East Berlin. She's married and has two children.)

Freund Und wie hat sich die Wende auf sie ausgewirkt?

Sie (For a few years the situation was quite difficult.)

Sie (There were a lot of changes, especially professionally.)

Freund Und jetzt? Haben sie sich an das neue Leben gewöhnt?

Sie (Oh, yes. They've both got new jobs and are quite content.)

8

The writer Christa Wolf is well known throughout Germany and has written many novels which have brought her international acclaim and recognition. She spoke at the large rally at Berlin's Alexanderplatz on the 4th of November 1989. On that occasion she said *„Mit dem Wort ‚Wende' habe ich meine Schwierigkeiten. Ich sehe da ein Segelboot. Der Kapitän ruft: ‚Klar zur Wende?'* (ready about!*) weil der Wind sich dreht … Aber stimmt dieses Bild noch?"* Since reunification, Christa Wolf has been the subject of controversy because of her position vis-à-vis the East German regime and her alleged involvement with the *Stasi*.

Write a summary of Christa Wolf's life based on the information on page 127. Use the past imperfect in your summary.

Bitte schreiben Sie etwa 100 Wörter über Christa Wolf.

- Christa Wolf, geb. 18.1.1929 in Landsberg/Warthe
- Vater: Otto Ihlenfeld, Kaufmann
- Besuch der Grundschule und Oberschule in Landsberg
- 1945: Umsiedlung nach Mecklenburg
- 1949: Abitur in Bad Frankenhausen
- 1949–53: Studium der Germanistik in Jena und Leipzig
- 1951: Heirat mit Konrad Wolf
- 1953–62: verschiedene Berufe (Redakteurin, Lektorin, wissenschaftliche Mitarbeiterin) in Berlin
- seit 1962 freie Schriftstellerin
- 1963: Veröffentlichung des Romans *Der geteilte Himmel*, großer Erfolg
- zwei Töchter
- wohnt in Berlin

Lerneinheit 8 Schnappschüsse aus Berlin

Lerneinheit 8 aims to give you an impression of Berlin as it is today: the sights, the stories, the hopes and frustrations of the people who live there. It starts with *Scenes from Berlin's past*, as seen through the eyes of a leading German writer and continues with *The Berlin of today*, which highlights some contentious issues. The final topic is *Hopes and fears for the future*, where you will hear once more from the four Berliners you met in *Lerneinheit 7*.

By the end of *Lerneinheit 8*, you will have practised reading descriptive passages, identified pictures of important scenes in Berlin and practised the language of emotion.

STUDY CHART

Topic	Activity and resource	Key points
Scenes from Berlin's past	**1 Text**	reading about Berlin in the 1920s
	2 Text	practising the imperfect
	3 Text	practising adjectives in comparative and superlative forms
The Berlin of today	**4 Text**	completing a description of a tour round the centre of Berlin
	5–6 Text	identifying pictures of Berlin
Hopes and fears for the future	**7 Text**	reading about people's hopes and fears
	8–9 *Übungskassette*	listening to people talking about hopes and fears
	10 Text	practising expressing emotions

Die Weidendammer Brücke zu Anfang dieses Jahrhunderts

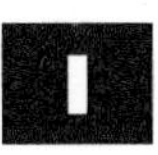

In the 1920s Berlin buzzed with energy in the same way as it is beginning to do again nowadays. Read Erich Kästner's description of the atmosphere at the Weidendammer Brücke in what was then the centre of Berlin. This is a very short extract from a book called *Pünktchen und Anton.*

Lesen Sie diesen Auszug und beantworten Sie die Fragen auf englisch.

die Lichtreklame (-n) *illuminated advertisement*

der Schaukasten (¨) *showcase*

die Leuchtschrift (-en) *neon light*

der Giebel (-) *gable*

sich erheben *rise up*

der Scheinwerfer (-) *headlight*

blitzen *to flash*

der Fußsteig (-e) = der Bürgersteig (-e) *pavement*

„Kennt ihr die Weidendammer Brücke? Kennt ihr sie am Abend, wenn unterm dunklen Himmel ringsum die Lichtreklamen schimmern? Die Fassaden der Komischen Oper und des Admiralspalastes sind mit hellen Schaukästen und bunter Leuchtschrift bestreut. ... Und dahinter, über den Häusern des Schiffbauerdamms, glänzt der Giebel des Großen Schauspielhauses. Autobusse rollen in Kolonnen über den Brückenbogen. Im Hintergrunde erhebt sich der Bahnhof Friedrichstraße. ... Berlin ist schön, hier besonders, an dieser Brücke, und abends am meisten! Die Autos drängen die Friedrichstraße hinauf. Die Lampen und Scheinwerfer blitzen, und auf den Fußsteigen schieben sich die Menschen vorwärts. Die Züge pfeifen, die Autobusse rattern, die Autos hupen, die Menschen reden und lachen ... ."

1. Which part of Berlin is the author describing here?
2. What is shining above the houses of the Schiffbauerdamm?
3. What does the author say about Berlin and this particular place?
4. Name the three forms of transport mentioned in the text. What noises are they making?
5. What three things are people doing?

In this activity you will practise using the imperfect by rewriting the last part of the extract from Kästner's book from „*Im Hintergrunde erhebt sich der Bahnhof Friedrichstraße ...*" to the end.

Bitte schreiben Sie den Text im Imperfekt.

3

Now practise using adjectives in their comparative and superlative forms. The first one has been done for you.

Bitte schreiben Sie Sätze.

1. Berlin – Leipzig – London: groß
   Berlin ist größer als Leipzig, aber London ist am größten.
2. Berlin – bei Sonnenschein – bei Regen – abends: schön
3. das Große Schauspielhaus – der Admiralspalast – die Komische Oper: hell
4. Karten für das Große Schauspielhaus – Karten für den Admiralspalast – Karten für die Komische Oper: teuer
5. der Verkehr auf der Weidendammer Brücke – der Verkehr auf dem Schiffbauerdamm – der Verkehr auf der Friedrichstraße: dicht
6. die Autobusse – die Autos – die Züge: laut

7 die Friedrichstraße – der Schiffbauerdamm – die Straße Unter den Linden: breit

4

Now look at the Berlin of today. How about a short guided tour round the centre of Berlin? Fill in the gaps in this text with prepositions from the list below.

Lesen Sie und schreiben Sie die Präpositionen in die Lücken.

Der Potsdamer Platz ____________ dem Brandenburger Tor ist die historische Mitte Berlins. Sie können ihn ____________ der U2 erreichen. Heute gehen täglich viele hundert Touristen ____________ das Tor. Die Straße des 17. Juni führt vom Brandenburger Tor Richtung Westen ____________ Siegessäule. Nach Osten geht man die ehemalige Prachtstraße „Unter den Linden" ____________ , an der berühmten Humboldt-Universität vorbei, bis ____________ Neptunbrunnen ____________ dem Rathausplatz. Hier war das Zentrum des alten Ostberlin. ____________ dem Dom hat das DDR-Regime den „Palast der Republik" gebaut, und zwar genau an der Stelle, wo bis 1950 das alte Schloß stand.

der Brunnen *fountain*
die Siegessäule *victory column*

mit   auf   entlang   gegenüber   mit   zum   zur   durch

5

Here are some photos of central Berlin in the 1990s.

Welches Foto paßt zu welcher Unterschrift auf Seite 131?

1

2

3

4

a Christo und Jeanne-Claude: Verhüllter Reichstag
b Streit um das alte Schloß
c Polizeibewachung für jüdische Synagoge
d Multikulturelles Wochenendvergnügen: Picknick im Tierpark

6

Every picture from Activity 5 tells a story about Berlin.

Welches Bild paßt zu welchem Kommentar?

1. Das Gebäude existiert nicht wirklich: Es ist eine Plastikwand, eine Imitation des alten Schlosses. Heute lautet die Frage: Soll es in Zukunft wieder aufgebaut werden oder nicht?
2. In Westberlin leben schon seit den 70er Jahren viele Türken. In Ostberlin gab es vor der Vereinigung weniger Ausländer. Seit der Vereinigung ist der Ausländeranteil in Berlin noch weiter gestiegen: Die meisten neuen Einwohner kommen aus Osteuropa und der ehemaligen Sowjetunion.
3. In den 90er Jahren ist auch die Gewalt gegenüber nationalen und religiösen Minderheiten in Deutschland gestiegen. Es gab mehrfach rassistisch motivierte Attacken.
4. Um dieses Projekt mußten die Künstler über zwanzig Jahre lang kämpfen. Als sie 1995 endlich die Erlaubnis vom deutschen Parlament bekamen, wurde ihre Aktion als großer Erfolg gewertet. Das Projekt wurde von den Künstlern selbst finanziert.

7

In the next two activities you will read and hear what people think about everyday life in Berlin. Read the two texts below and note down in the table the things Steffi Breitenbach and Helga Kürschner feel frustrated about and their hopes for the future.

Bitte lesen Sie und füllen Sie die Tabelle aus.

Steffi Breitenbach

Die vielen Autos und Lkws frustrieren mich. Da muß was getan werden. Und es muß mehr für Kinder getan werden. Ich wünsche mir, daß nicht mehr Parkhäuser sondern mehr Spielplätze gebaut werden. Und ich hoffe, daß durch den Umzug des Bundestags und der Regierung nach Berlin mehr Arbeitsplätze geschaffen werden. Das haben wir bitter nötig.

Helga Kürschner

Eigentlich geht mir nichts so richtig auf die Nerven, außer den vielen Baustellen. Die ganze Stadt ist eine einzige Baustelle. Überall sind Umleitungen und die Straßen sind gesperrt. Ich hoffe sehr, daß Berlin dann auch schließlich schöner wird und ein harmonisches Stadtbild kriegt.

	Frustrationen	Hoffnungen
Steffi Breitenbach		
Helga Kürschner		
Erdal Saltuklar		
Lars Wenzel		

8

If you listen to *Hörabschnitt 10* you will hear Erdal Saltuklar and Lars Wenzel talking about what irritates them and how they hope the situation might change. Add their frustrations and hopes to the table in Activity 7.

Hören Sie und füllen Sie die Tabelle aus.

9

Listen to *Hörabschnitt 10* once more and fill in the missing words.

Schreiben Sie die richtigen Wörter in die Lücken.

Erdal Saltuklar

... Seit der ____________ ist der Verkehr in Berlin wirklich eine ____________ . Zu viele ____________ und zu wenig ____________ . Und das allgemeine ____________ ist rauher geworden. Ich finde, die ____________ sollte so ____________ wie möglich autofrei werden. Dann hat Berlin wirklich eine ____________ , wieder eine ____________ zu werden, wie in den zwanziger ____________ .

Lars Wenzel

Also, was mich echt ____________ sind die Preise. Alles wird ____________ , Kino, Theater, aber auch ____________ und ____________ . Und vor allem die Mieten ____________ . Das kann sich bald keiner mehr ____________ . Ich würde mir ____________ , daß Berlin nicht so ____________ auf Leistung und Erfolg ____________ und lieber mehr für die Kultur und die Alternativszene ____________ . Das ____________ hier alles langsam kaputt. Berlin ____________ so seinen Charakter.

10

Now practise expressing hope, wishes and dissatisfaction using phrases like *die Stadt frustriert mich, die Stadt geht mir auf die Nerven, ich hoffe, daß ..., ich wünsche mir, daß ... .*

Schreiben Sie Sätze.

1 auf die Nerven gehen – die vielen Baustellen

Die vielen Baustellen gehen mir auf die Nerven.

2 frustrieren – die Hektik und der Lärm in Berlin
3 auf die Nerven gehen – das neue Regierungsviertel
4 hoffen – Berlin wird wieder internationaler
5 wünschen – Berlin erhält ein harmonisches Stadtbild
6 frustrieren – die steigenden Mieten in Kreuzberg
7 wünschen – die Kulturszene in Berlin bekommt mehr Geld
8 auf die Nerven gehen – die vielen Touristen
9 hoffen – mehr Arbeitsplätze in Berlin geschaffen werden

Lerneinheit 9 Berlin – Drei Debatten

Lerneinheit 9 looks at some of the debates and decisions which were vital for the identity of Berlin today, most notably the decision in 1991 to make Berlin the seat of government for the reunified Germany. You will learn about current and recent issues and at the same time develop strategies to put forward a case for debate yourself.

There are three debates, which make up the three topics of this *Lerneinheit*. They are *Debatte Nr. 1: Die Hauptstadtfrage*, which looks at the decision to move the seat of government back to Berlin; *Debatte Nr. 2: Verhüllter Reichstag*, which raises the debate about the controversial wrapping of the Reichstag and *Debatte Nr. 3: Hin und her ums Schloß*, which reviews the discussion about the Berliner Schloß, destroyed in the Second World War, replaced by the DDR's people's palace and now (temporarily) by a plastic replica.

By the end of *Lerneinheit 9*, you will have gained confidence in putting forward points in a discussion, defending your opinion and adding emphasis to your arguments.

STUDY CHART

Topic	Activity and resource	Key points
Debatte Nr. 1: Die Hauptstadtfrage	**1–2 Text**	reading extracts from a government debate
	3 Text	giving reasons and practising conjunctions
	4 *Übungskassette*	practising giving emphasis
Debatte Nr. 2: Verhüllter Reichstag	**5 Text**	reading two people's opinions about the wrapped Reichstag and giving your own opinion
	6 Text	reading an article about the Reichstag wrapping and drafting questions
	7 *Übungskassette*	defending the project against criticism
Debatte Nr. 3: Hin und her ums Schloß	**8 Text**	reading about the history of the Stadtschloß
	9 Text	looking at arguments for and against rebuilding it
	10 Text	emphasising statements
	11 Text	summarising the different views

When West and East Germany reunited in 1990, it was not at all clear whether the government would move back to Berlin. Many people, including some of the most influential politicians, argued in favour of Bonn, the small town on the River Rhein which had been the seat of the West German government for 41 years. The crucial debate took place in June 1991. None of the political parties took an official line because opinion was divided, and MPs were allowed to vote according to their own consciences. A lively and passionate debate took place and the result was that Berlin won the day by a very narrow vote.

Lesen Sie einige Auszüge aus der Debatte. Welche Aussage paßt zu den englischen Zusammenfassungen?

der Aufbau *reconstruction, rebuilding*
die Anstrengung (-en) *effort*
die Gleichberechtigung *equal opportunities*
das Zeichen (-) *sign*
der Brennpunkt (-e) *focal point*
die Sehnsucht (¨-e) *longing*
die Überwindung *overcoming*
verschlingen *to gobble up*

„Brauchen wir denn nicht heute und morgen jede Mark für den Aufbau in den neuen Bundesländern?“ (Dr. Norbert Blüm, CDU)

„Bisher ist nämlich zu vieles von Ost nach West gewandert: Arbeitsplätze, Arbeitskräfte, also Menschen ... Deshalb sind besondere politische Anstrengungen zur Herstellung von Gleichberechtigung nötig.“ (Wolfgang Thierse, SPD)

„Sie wissen, daß die Menschen in den neuen Bundesländern auf ein Zeichen warten. Ich finde, sie haben dieses Zeichen und dieses Signal verdient.“ (Dr. Gregor Gysi, PDS)

„Es ist jetzt nicht die Stunde der Zentralisierung, sondern der Dezentralisierung.“ (Gerhart Rudolf Braun, FDP)

„Bonn ist für mich ... das Symbol des Neuanfangs ... Bonn ist die Metapher für die zweite deutsche Republik.“ (Dr. Peter Glotz, SPD)

„Berlin war Brennpunkt deutscher Teilung und der Sehnsucht nach deutscher Einheit ... Aber für mich ist Berlin eben auch immer die Chance zur Überwindung der Teilung gewesen.“ (Dr. Helmut Kohl, CDU)

„Das Geld, das ein Umzug nach Berlin zusätzlich verschlingen würde, fehlt für die Hilfe in den neuen Ländern.“ (Anke Fuchs, SPD)

1 Moving the parliament and government to Berlin would cost too much money.
2 Moving the parliament and government to Berlin would be a gesture of compensation or goodwill towards east Germans by west Germans.
3 It would be better to stay in Bonn because not only does Bonn symbolise a new beginning after the war, it is also more appropriate to decentralise rather than centralise.

2 Who was in favour of moving to Berlin and who was against it? There were well over 50 speakers in the debate. Which side were the seven speakers quoted above on?

Wer spricht für und wer spricht gegen den Umzug nach Berlin?

	PRO	KONTRA
Blüm	❑	❑
Thierse	❑	❑
Gysi	❑	❑
Braun	❑	❑
Glotz	❑	❑
Kohl	❑	❑
Fuchs	❑	❑

3 Now practise giving reasons using conjunctions. Find the correct conjunctions to make up the sentences below.

Bitte notieren Sie die Argumente, warum die Bundesregierung nach Berlin umziehen oder warum sie in Bonn bleiben sollte. Benutzen Sie: Weil, aber, denn, und, deshalb, obwohl.

Achtung! Manchmal gibt es mehr als eine mögliche Antwort.

Die Bundesregierung sollte nach Berlin umziehen,

1 der Umzug kostet viel Geld

Die Bundesregierung sollte nach Berlin ziehen, obwohl der Umzug viel Geld kostet.

2 der Umzug wäre ein Zeichen für die Ostdeutschen
3 Berlin war die Hauptstadt der DDR
4 einige Ministerien sollten in Bonn bleiben

Die Bundesregierung sollte in Bonn bleiben,

5 Bonn ist ein Symbol der Kontinuität
6 Berlin ist schon groß und mächtig genug
7 Berlin ist die frühere Hauptstadt
8 der Bundespräsident sollte nach Berlin ziehen

4 This *Lerneinheit* is all about debates, putting forward your point of view and trying to convince other people of your argument. Use *Hörabschnitt 11* to practise ways of giving your words greater emphasis.

Hören Sie und sprechen Sie!

5

The artist Christo and his wife Jeanne-Claude finally got permission to wrap the Reichstag in summer 1995 (see the photo on page 130). The project was a huge success, attracting large numbers of people to Berlin – and pleasing the Berliners as well. It turned out to be a very successful event, providing entertainment for almost everybody.

Frau Kürschner and Lars Wenzel have very different opinions on the success of Christo's project. They use many different phrases to express their opinions. Read what they say, then use the phrases below to make up your own sentences about the Christo project. Change the verbs in the infinitive to the most suitable form of the past tense, perfect or imperfect.

Machen Sie Sätze aus den Aussagen.

Helga Kürschner

Meiner Ansicht nach war das Projekt völlige Geldverschwendung. Und das soll Kunst sein? – Dieses schöne ehrwürdige Gebäude einfach grau einpacken! Das ist doch schließlich unser Parlament! Ich finde, das kann man nicht als Scherz behandeln. Meiner Meinung nach ist das keine Kunst! Wo bleibt denn da der Respekt vor Tradition und Demokratie? So etwas würden die Amerikaner bestimmt nicht mit dem Weißen Haus machen!

Lars Wenzel

Ich bin der Ansicht, das war das Beste, was Berlin passieren konnte. Zum ersten Mal seit langer Zeit gab es in Berlin eine Kunst-Aktion, die Weltniveau hatte. Berlin war in der Weltpresse, die Touristen kamen in Scharen und haben natürlich auch Geld in der Stadt gelassen. Die Stimmung war prima, wie auf einem Open-Air-Festival! Ich denke, die Berliner hatten endlich mal ein anderes Thema als immer nur Regierungsumzug und Verkehrsprobleme. Christo hat Berlin und die Deutschen, wie ich meine, etwas sympathischer gemacht!

1. Meiner Meinung nach – das Projekt das internationale Ansehen Berlins als Kunstmetropole – steigern
2. Ich denke – das Projekt den Fremdenverkehr fördern
3. Ich meine – für die Berliner der verhüllte Reichstag eine Ablenkung von den tagtäglichen Problemen – darstellen
4. Ich finde – das Projekt zu teuer – sein
5. Ich bin der Ansicht – das Gebäude aufgrund seiner Funktion für eine solche Aktion nicht geeignet – sein
6. Meiner Meinung nach – dieses Projekt keine Kunst – sein

Now read an article from the German magazine *Stern* about the wrapped Reichstag and how it was turned into a big entertainment event.

Lesen Sie den Artikel und schreiben Sie die Fragen. Die fettgedruckten Wörter helfen Ihnen dabei.

ehrfürchtig *reverent(ly)*
die Hülle (-n) *wrapping*
der Heiligenschein *halo*
die Pilgerstätte (-n) *place of pilgrimage*
der Verkleidungskünstler (-) *performer in fancy dress*
der Nörgler (-) *grumbler, moaner*
madig machen *colloquial: to run somebody/something down*
der Spinner (-) *nutcase*
die Hartnäckigkeit *persistence*
die Grazie *grace, beauty*
flanieren *to stroll*

In Hülle und Fülle

Es ist geschafft: Der Reichstag hat ein Silbergewand bekommen ...

Still ist es. Ehrfürchtig stehen Tausende von Menschen um das Gebäude herum, dem die silbrig glänzende Hülle eine Art von Heiligenschein verliehen hat. ... Berlin hat eine neue Pilgerstätte bekommen: Den Reichstag, verhüllt vom Künstlerpaar Christo und Jeanne-Claude.

Jeder will es sehen ... Mütter und Kinder sind gekommen, Professoren von der Humboldt-Universität und Krankenschwestern aus der Charité. Plötzlich hat die Stadt einen Ort, zu dem jedermann geht. ... Gegen Mittag kommen Clowns und Verkleidungskünstler, afrikanische Trommler, brandenburgische Saxophonspieler und eine Jazz-Combo aus Sankt Petersburg ...

Einige Nörgler versuchen, der Menge das Kunsterlebnis madig zu machen. Lautstark erklären sie die Verhüllungsaktion für blöd, überflüssig und viel zu teuer ...

Die meisten allerdings finden den Reichstag großartig. ... Sicher ist: Das Ding ist einfach schön. Und selbst die vielen Kritiker aus der Kunstszene, die Christo und Jeanne-Claude für naive Spinner halten, sind beeindruckt: Von der Hartnäckigkeit, mit der sie 24 Jahre lang an ihrer Idee festhielten. Von der perfekten Organisation. Und von der Grazie des fertigen Objekts.

Bis zum 6. Juli bleibt der Reichstag verhüllt, danach beginnt der Umbau für den Deutschen Bundestag ...

1 Der Reichstag hat **ein Silbergewand** bekommen.
2 Zum Reichstag kommen **Mütter und Kinder**, **Professoren und Krankenschwestern**.
3 Musik machen am Reichstag: Trommler **aus Afrika**, Saxophonspieler aus Brandenburg und eine Jazz-Combo aus St. Petersburg.
4 Einige Nörgler finden die Aktion **blöd**, **überflüssig und teuer**.
5 Kritiker halten Christo und Jeanne-Claude **für naive Spinner**.
6 **Am 7. Juli** beginnt am Reichstag der Umbau für den Bundestag.

Now discuss the Christo project with Helga Kürschner in *Hörabschnitt 12*. This will give you practice in expressing opinions. You may wish to prepare your responses to Frau Kürschner's statements in advance.

Bitte diskutieren Sie mit Frau Kürschner.

Helga Kürschner	So ein Schwachsinn, den Reichstag zu verpacken. Und das soll Kunst sein?
Sie	*(Yes, why not? I think it's art. And it was a fascinating project.)*

Helga Kürschner — Faszinierend? Na, ich weiß nicht. So ein Spektakel. Und so was mit dem Reichstag. Schließlich ist es ein historisches Gebäude.

Sie — *(OK, the Reichstag is a historical building, but why can't it be a work of art as well?)*

Helga Kürschner — Das paßt nicht zusammen. So was macht man einfach nicht.

Sie — *(But it was good for Berlin: a lot of tourists came to see the wrapped Reichstag.)*

Helga Kürschner — Na gut, für den Tourismus war es wohl nicht schlecht. Aber sonst? Das war für mich keine Kunst.

Sie — *(OK, but many people liked it.)*

Helga Kürschner — Naja.

Sie — *(And it shows that Berlin will become an international city again, and that's positive, isn't it?)*

Helga Kürschner — Die sollen lieber erstmal die ganzen Probleme lösen, bevor sie Großstadt spielen.

Sie — *(Have you actually been to the wrapped Reichstag?)*

8

In Activities 8–11 you will concentrate on another debate – the discussion about the Berliner Schloß at Unter den Linden, which was destroyed during the war. Instead of reconstructing it, the East German government decided to demolish it. The discussion now is whether it should be rebuilt on its original site.

Bild links: Das Berliner Schloß

Bild rechts: Der Palast der Republik

sprengen *to blow up*

asbestverseucht *contaminated by asbestos*

Lesen Sie den Text und kreuzen Sie bitte auf Seite 140 an! Korrigieren Sie die falschen Aussagen.

Als man in der DDR in den 50er Jahren den „Arbeiter- und Bauernstaat" aufbaute, galt das Berliner Schloß im Zentrum der Stadt als Symbol der alten Gesellschaft. Es war im Krieg zerstört worden und eine Ruine. Man hätte es wiederaufbauen können, aber die Ruine wurde 1950 gesprengt. An der Stelle des alten Schlosses baute man den „Palast der Republik", ein modernes Gebäude mit Tanzsälen, Diskos und Räumen für das Volk. Der neue Palast war ein Symbol für den neuen Staat DDR. Viele ehemalige DDR-Bürger haben positive Erinnerungen an Feste in „ihrem" Palast.

Nach der Vereinigung 1990 fanden manche, die Zeit der DDR-Symbole sei vorbei und der architektonische Stil des Gebäudes scheußlich. Bei einer Inspektion zeigte sich dann, daß der Palast der Republik außerdem asbestverseucht war. Nun mußte also ein neues Konzept her. Bald gab es eine erbitterte Kontroverse zwischen denen, die das alte Schloß wieder aufbauen wollten, und denen, die etwas Neues entwerfen wollten.

	RICHTIG	FALSCH
1 Das Berliner Schloß überlebte den Zweiten Weltkrieg intakt.	❑	❑
2 Es war der DDR-Regierung ein Symbol für die Unterdrückung des Volkes.	❑	❑
3 Die Ruine des alten Schlosses wurde in den 50er Jahren gesprengt.	❑	❑
4 An seiner Stelle wurde der Palast der Republik gebaut.	❑	❑
5 Niemand mochte den Palast der Republik.	❑	❑

9

Here are some statements made by supporters and opponents of the reconstruction of the old Berliner Schloß. Please group them into two categories:

- *Pro: Für den Wiederaufbau des alten Schlosses*
- *Kontra: Gegen den Wiederaufbau des alten Schlosses/für ein moderneres Gebäude*

Welche Argumente sind für/gegen den Wiederaufbau des alten Stadtschlosses?

	PRO	KONTRA
1 Berlin ist kein Museum, sondern eine lebendige, moderne Stadt.	❑	❑
2 Wie kann sich ein modernes Gebäude in die historische Kulisse fügen?	❑	❑
3 Welche historische Epoche will man hier rekonstruieren? – Es hat in jedem Jahrhundert neue Entwicklungen in der Architektur gegeben.	❑	❑
4 Eine Rekonstruktion des alten Schlosses wird viel zu teuer.	❑	❑
5 Warum soll man nicht ein Stück DDR-Architektur als historisches Denkmal stehen lassen?	❑	❑
6 Der Wiederaufbau des Schlosses ist eine absurde Idee.	❑	❑
7 Es gibt keine Alternative, als das Schloß in seiner historischen Form wiederaufzubauen.	❑	❑

10

In this activity you will practise writing statements using emphasis. Rewrite the statements from Activity 9 to give them greater impact, using some of these words: *absolut, doch, denn, völlig, schließlich, überhaupt.*

Bitte schreiben Sie die Aussagen um!

11

Now write a summary of the arguments for and against the reconstruction of the Stadtschloß, using the arguments provided on page 141. Start with the construction *„Man sollte das Stadtschloß wieder aufbauen, weil/da …“.*

Schreiben Sie eine Zusammenfassung, benutzen Sie Sätze mit „weil“ oder „da“ (mindestens 120 Wörter).

Argumente für die Rekonstruktion des Stadtschlosses

1. wichtiges historisches Gebäude
2. paßt zu den anderen historischen Gebäuden an der Straße Unter den Linden
3. Ruine des Schlosses wurde von der DDR aus politischen Gründen gesprengt
4. wird Touristen anziehen
5. wird besser aussehen als der Palast der Republik
6. Palast der Republik ist asbestverseucht, muß abgerissen werden

Argumente gegen die Rekonstruktion des Stadtschlosses

1. kostet zu viel Geld
2. Warum etwas wieder aufbauen, was schon über vierzig Jahre nicht mehr existiert?
3. man kann das Geld besser für andere Projekte verwenden
4. ist kein Signal für die Zukunft Berlins, sondern ein Symbol der Vergangenheit
5. besser ein modernes Gebäude errichten als Symbol für die Zukunft

Checkliste

By the end of *Teil 3* you should be able to

- ○ use correct adjectival endings (*Lerneinheit* 7, Activity 3) — Seite 123
- ○ use relative pronouns in the nominative case (*Lerneinheit* 7, Activity 6) — Seite 125
- ○ use the imperfect (*Lerneinheit* 8, Activity 2) — Seite 129
- ○ use adjectives in comparative and superlative forms (*Lerneinheit* 8, Activity 3) — Seite 129
- ○ express hopes, wishes and dissatisfaction (*Lerneinheit* 8, Activity 10) — Seite 132
- ○ give reasons for your point of view, using conjunctions (*Lerneinheit* 9, Activity 3) — Seite 136
- ○ add emphasis to what you are saying or writing (*Lerneinheit* 9, Activities 4 and 10) — Seiten 136 & 140
- ○ use question words more effectively (*Lerneinheit* 9, Activity 6) — Seite 137
- ○ summarise opinions (*Lerneinheit* 9, Activity 11) — Seite 140

Teil 4

Wiederholung

This final *Teil* aims to conclude and summarise many of the themes and subjects which have been discussed in the course of *Thema 8*. In *Lerneinheit 10, Happy End?*, you will hear the final episode of the audio drama and you are invited to give your opinion about the characters and what might happen to them. *Lerneinheit 11, Das neue Gesicht Berlins*, focuses on the new developments in the revitalised Potsdamer Platz and finishes with a tour of the city centre.

By the end of *Teil 4*, you should have gained confidence in writing summaries and accounts of what you have been doing, as well as summing up opinions on different subjects.

Lerneinheit 10 Happy End?

Lerneinheit 10 concentrates on the final episode of the audio drama, *Begegnung in Leipzig*. The topic covered is *Working on the audio drama*.

By the end of *Lerneinheit 10*, you will have revised summary writing, identifying positive and negative aspects of people's characters, expressing opinions, adjectival endings and conjunctions such as *weil* and *denn*.

STUDY CHART

Topic	Activity and resource	Key points
Working on the audio drama	1 *Hörspiel*	listening to the final episode of the audio drama
	2 *Hörspiel*	checking you've understood the drama
	3 *Hörspiel*	writing a summary of the final episode
	4 Text	writing your opinion of the characters in the drama
	5 Text	expressing your opinion about the characters
	6 Text	drafting questions about the characters in the drama
	7 Text	revising adjectival endings
	8 Text	revising conjunctions

Hörspiel, Folge 8

First listen to the final episode of the *Hörspiel*. How are things going to turn out for Bettina and Thomas?

Bitte hören Sie das Hörspiel und kreuzen Sie die richtige Antwort an.

1 Bettina ist am Anfang der Episode
- **a** auf dem Marktplatz. ❑
- **b** auf dem Bahnhof. ❑
- **c** am Flughafen. ❑

2 Kai sucht
- **a** Bettina. ❑
- **b** Thomas. ❑
- **c** Sonja. ❑

3 Kai hat seinen Vater zuletzt
- **a** vor dem Bahnhof gesehen. ❑
- **b** auf dem Bahnsteig gesehen. ❑
- **c** am Zeitungskiosk gesehen. ❑

4 Kai war in der letzten Zeit
- **a** bei seiner Tante in Tübingen. ❑
- **b** bei seiner Mutter in Leipzig. ❑
- **c** bei seiner Mutter in Tübingen. ❑

5 Thomas und Kai begleiten Bettina
- **a** zum Zug. ❑
- **b** zum Bus. ❑
- **c** zur Straßenbahn. ❑

6 Bettina wohnt
- **a** noch immer in Connewitz mit Sonja zusammen. ❑
- **b** jetzt allein in Schleussig. ❑
- **c** jetzt in Schleussig mit Sonja zusammen. ❑

7 Thomas lädt Bettina
- **a** zu sich nach Hause ein. ❑
- **b** in die Moritzbastei ein. ❑
- **c** in das Restaurant Auerbachs Keller ein. ❑

8 Bettina
- **a** nimmt die Einladung an. ❑
- **b** muß noch über die Einladung nachdenken. ❑
- **c** lehnt die Einladung ab. ❑

Hörspiel, Folge 8

Here are some more detailed questions about the final *Folge*. You may want to listen to it again.

Bitte beantworten Sie die Fragen.

1. Wen sucht Kai auf dem Leipziger Hauptbahnhof?
2. Was schlägt Bettina Kai vor?
3. Was hat Kai in der letzten Zeit mit seinem Vater gemacht?
4. Was sagt Bettina über ihre Arbeit an der Schule?
5. Was schlägt Thomas Bettina vor?
6. Was sagt Bettina zunächst zu diesem Vorschlag?
7. Was für einen Auftritt hat Thomas in der Moritzbastei?

Hörspiel, Folge 8

Now write a short summary about what happened in this episode of the drama, using constructions such as *Er erzählt, daß* … at least once. Don't forget to use words like *dann* and *schließlich* to link your sentences.

Schreiben Sie eine Zusammenfassung (mindestens 100 Wörter).

4

Now give your opinion about the four main characters in the *Hörspiel*. Think of one positive and one negative statement for each of them, together with reasons.

Bitte beantworten Sie die Fragen über die Personen aus dem Hörspiel. Sagen Sie Ihre Meinung.

1. Wie gefällt Ihnen Bettina? Warum denken Sie das?
2. Was halten Sie von Sonja? Warum?
3. Und wie gefällt Ihnen Thomas? Warum gefällt er Ihnen/nicht?
4. Und was denken Sie über Kai? Warum?
5. Was wird zwischen Bettina und Thomas passieren? Was denken Sie?

5

Now revise different ways of expressing your opinion using the expressions *ich bin der Meinung, daß …, ich bin der Ansicht, daß …, meiner Meinung nach, meiner Ansicht nach, ich meine, ich denke,* and *ich glaube.*

Schreiben Sie Sätze. Benutzen Sie jeden Ausdruck einmal.

1. ______________ Sonja sich sehr schlecht benommen hat.
2. ______________ ist Thomas ein bißchen in Bettina verliebt.
3. ______________ Bettina zu nett zu Sonja war.
4. ______________ die beiden Frauen paßten nicht zusammen.
5. ______________ Thomas ist ein guter Vater.

6 _____________ Kai mag Bettina sehr gern.

7 _____________ ist Thomas kein guter Sänger.

6

Now revise writing questions. As usual, the words in bold type should give you a clue as to how to draft the questions.

Bitte fragen Sie.

1. Bettina, Kai und Thomas haben sich **am Bahnhof** getroffen.
2. Kai hat **seinen Vater** gesucht.
3. Thomas hat Bettina **in die Moritzbastei** eingeladen.
4. Bettina ist **am 1. September** in ihre eigene Wohnung gezogen.
5. Bettina hat die Straßenbahn genommen, **die nach Schleussig fährt**.
6. Thomas und Bettina kennen sich **aus Tübingen**.
7. Bettina gefällt die Arbeit an der Schule **ganz gut**.
8. Sie arbeitet **seit einem Jahr** an der Schule.
9. Sie hat am Anfang in Leipzig **mit Sonja** zusammengewohnt.
10. Sie freut sich **darüber, daß sie Kai und Thomas wiedergetroffen hat**.

7

This activity revises the use of adjectives and their endings. Use the adjectives below.

Welches Adjektiv paßt in welche Lücke?

Bettina hatte einen _____________ Streit mit Sonja. Sie ist am nächsten Tag mit ihren _____________ Sachen aus Sonjas Wohnung ausgezogen. Sie wohnt jetzt in einer _____________ Wohnung in Schleussig. Trotz der _____________ Miete gefällt ihr ihre _____________ Wohnung sehr gut. Sie hat noch immer ihren _____________ Job an der Schule. In ihrer Freizeit hat sie jetzt ein _____________ Hobby gefunden – sie geht zum Aerobic in ein _____________ Fitnesszentrum in Schleussig, in dem sie _____________ Leute kennengelernt hat. Sie freut sich, daß sie ihre _____________ Bekannten Kai und Thomas auf dem Bahnhof wiedertrifft. Sie hat keine Zeit, mit ihnen in dem _____________ Café in der Nähe einen Kaffee zu trinken. Aber als Thomas sie zu seinem Solo-Auftritt in die _____________ Moritzbastei einlädt, nimmt sie die Einladung an und genießt die _____________ Atmosphäre und die _____________ Musik dort.

modern klein angenehm lautstark gut geräumig neu bekannt neu nett
anstrengend alt wenig hoch

8

Finally, here is a chance to revise conjunctions.

Schreiben Sie die Sätze zu Ende. Nehmen Sie „aber“, „weil“, „denn“ und „obwohl“. Manchmal müssen Sie zwei verschiedene Sätze schreiben.

1 Bettina zieht aus Sonjas Wohnung aus (sie – Streit haben – mit Sonja) (*2 Sätze*)

2 Ihre Wohnung in Schleussig gefällt Bettina (die Miete – sehr hoch – sein) (*2 Sätze*)

3 Sie hat einen anstrengenden Job (die Arbeit als Lehrerin – ihr – gefallen)

4 Sie geht gern ins Fitnesszentrum (sie – dort – viele Bekannte – treffen) (*2 Sätze*)

5 Sie nimmt die Einladung in die Moritzbastei an (sie – wenig Zeit – haben)

Lerneinheit 11 Das neue Gesicht Berlins

In the late nineties, Berlin has become probably the most exciting city in Europe. It is also the city facing the most radical changes and the biggest rebuilding programme. *Lerneinheit 11* features the Potsdamer Platz, which symbolises the new face of Berlin. The two topics are *The resurgence of the Potsdamer Platz* and *Tourist trip round Berlin.*

Work covered in this *Lerneinheit* includes revision of infinitives, the future, perfect and imperfect tenses, prepositions, personal and reflexive pronouns and recounting what you have been doing.

STUDY CHART

Topic	Activity and resource	Key points
The resurgence of the Potsdamer Platz	**1 Text**	reading about the Potsdamer Platz
	2 Text	revising infinitives and the perfect tense
	3 Text	revising the imperfect
	4 Text	revising *werden*
	5 *Übungskassette*	asking questions about the Potsdamer Platz
Tourist trip round Berlin	**6 Text**	revising the perfect tense and prepositions
	7 Text	revising personal and reflexive pronouns
	8 *Übungskassette*	recounting what you've done in Berlin

Der Potsdamer Platz zu Anfang der neunziger Jahre: Eine Großbaustelle in der Mitte Berlins

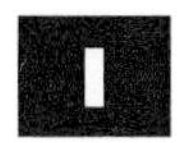

The new Berlin is still under construction. In this activity you will visit one of the main building sites.

Lesen Sie den Artikel und beantworten Sie die Fragen auf deutsch.

das Brachland *wasteland*
verstopfen *to congest*
die Schiene *railway track*

Der Potsdamer Platz als größte Baustelle Berlins

Wo vor dem Krieg ein beliebtes Viertel mit Cafés, Kneipen und Hotels war, war nach 1945 und der Teilung Brachland. Der Potsdamer Platz lag am Rande Westberlins und hatte seine Funktion verloren. Aber nach der Wiedervereinigung hat sich das radikal geändert, ein neues Stadtviertel mit Geschäften, Büros, Kneipen, Hotels, Kinos, Wohnungen und einem Regionalbahnhof wird hier gebaut. Das bedeutet nicht nur Lärm und Staub, sondern vor allem Transportprobleme. Wie kann man mitten in der City ein solches Projekt bauen, ohne die Straßen mit Lastwagen zu verstopfen? Die Lösung hier ist die Schiene: 90% aller Transporte werden mit Zügen bewältigt, nur so kann man sicherstellen, daß in den Straßen um den Potsdamer Platz kein Dauerstau herrscht.

1. Was war der Potsdamer Platz vor dem Krieg?
2. Was war der Potsdamer Platz nach 1945?
3. Wo lag der Potsdamer Platz nach der Teilung?
4. Was wird jetzt am Potsdamer Platz gebaut?
5. Nennen Sie drei Probleme, die diese Großbaustelle verursacht.
6. Wie hat man am Potsdamer Platz das größte Problem, das die Großbaustelle verursacht, gelöst?

This activity will help you to revise tenses. Here is a list of all the verbs used in the article in Activity 1. Write down the infinitive form and perfect tense of these verbs in the third person singular (*er*, *sie* or *es*). The first one has been done for you.

Bitte machen Sie eine Liste der Verben im Perfekt.

	Verb	Infinitive	Perfect
1	war	sein	er ist gewesen
2	lag	______	______
3	hatte verloren	______	______
4	hat sich geändert	______	______
5	wird gebaut	______	______
6	bedeutet	______	______
7	kann	______	______

8 ist ______________ ______________

9 wird ______________ ______________

10 sicherstellen ______________ ______________

11 herrscht ______________ ______________

3

Der Potsdamer Platz in den zwanziger Jahren

Now practise using the imperfect tense. Rewrite this short article, putting all the verbs which are in the present into the imperfect tense.

Schreiben Sie die Verben im Imperfekt.

In den zwanziger Jahren ist der Potsdamer Platz ein wichtiges Zentrum Berlins. Hier gibt es viele Cafés, Bars und Restaurants, jeden Abend kommen Tausende von Menschen, um das Nachtleben zu genießen. Nach dem Krieg liegt der Potsdamer Platz am Rande Westberlins. Für fast vierzig Jahre schläft das ganze Stadtviertel eine Art Dornröschen-Schlaf. Nach der Wende ändert sich das bald: Sehr schnell beginnen die Bauarbeiten, die große Transportprobleme verursachen. Man versucht, die Probleme dadurch zu lösen, daß man das Material auf der Schiene transportiert. Aber natürlich hat man noch andere Schwierigkeiten bei einem so großen Projekt, wie z.B. Lärm und Staub, über den sich die Leute, die in der Nähe wohnen, beschweren.

4

In this activity you will revise using *werden* both in its meaning of 'to become' and its function of forming the passive. Use the prompts provided and write sentences in German. Make sure that you use the correct tense!

Schreiben Sie Sätze auf deutsch.

1. Berlin – becoming big building site
2. Potsdamer Platz – destroyed – in war
3. at Potsdamer Platz – new district – being built
4. building site – visited by many tourists
5. construction work – started after reunification
6. materials – transported on railtrack
7. Potsdamer Platz – becoming a new centre for Berlin

5

In this activity you are going to use *Hörabschnitt 13* to imagine that you are a journalist who is interviewing the *Bauleiter* of the Potsdamer Platz building site, Herr Bolle-Stratmann. You may wish to prepare your questions first.

Bitte sprechen Sie mit Herrn Bolle-Stratmann.

Sie	*(Could you tell me a bit about the history of the Potsdamer Platz?)*
Herr Bolle-Stratmann	Also, ähm, vor dem Zweiten Weltkrieg war der Potsdamer Platz das Zentrum Berlins.
Sie	*(And after the war?)*
Herr Bolle-Stratmann	Ja, da lag der Potsdamer Platz auf dem Grenzgebiet zwischen Ost- und Westberlin. Da passierte dann nichts bis zur Wende.
Sie	*(And after the* Wende*? What are they planning now?)*
Herr Bolle-Stratmann	Ja, jetzt wird hier praktisch ein neues Zentrum für Berlin geplant und gebaut.
Sie	*(And when will the project be finished?)*
Herr Bolle-Stratmann	Hmm, in ungefähr sechs Jahren.
Sie	*(Thanks for the interview. It was very interesting.)*
Herr Bolle-Stratmann	Hmm, nichts zu danken, gern geschehen.

6

In this activity you will revise the perfect tense and, at the same time, get some more practice in the use of prepositions. You have spent the whole day walking round central Berlin. Now you've decided to sit down and write a letter to your German friend Monika, who lives in Hanover. The main points are given below.

Berichten Sie, was Sie Unter den Linden gemacht haben. Benutzen Sie bitte das Perfekt.

Liebe Monika,

heute – U-Bahn fahren – Potsdamer Platz
U-Bahnstation Potsdamer Platz aussteigen
links – Großbaustelle sein
zu Fuß – Richtung Brandenburger Tor gehen
Brandenburger Tor hindurchgehen
Unter den Linden entlanglaufen
Humboldt-Universität und Neue Wache sehen
Museumsinsel – Pergamonmuseum besichtigen
sehr müde sein
Durst haben
in der Nähe ein Café finden
zwei Kännchen Kaffee trinken und zwei Stück Kuchen essen

This activity gives you the chance to revise the use of personal and reflexive pronouns. Use the pronouns supplied below.

Schreiben Sie bitte in die Lücken.

1 Hast du ____________ schon die Ausstellung in der Nationalgalerie angesehen? ____________ soll ganz toll sein.

2 Nein, ich interessiere ____________ nicht für moderne Kunst.

3 Schade, Angela und ich wollen ____________ morgen nachmittag dort treffen.

4 Was macht ____________ denn anschließend? Ich würde ____________ gern zum Essen einladen. Habt ____________ morgen abend Zeit?

5 Ja, ich denke schon. Aber ich muß erst noch Angela fragen. Ich glaube, ____________ wollte morgen abend ins Theater gehen. Ich werde ____________ erzählen, daß du ____________ zum Essen einladen willst.

6 Okay. Kann ich ____________ heute abend anrufen?

7 Ja, aber erst nach 10 Uhr. Wir gehen zu meinen Eltern. Wir haben ____________ versprochen, ____________ zu besuchen.

8 Gut, dann rufe ich ____________ nach 10 Uhr an.

ihr euch dir sie euch mich sie uns ihr ihr sie uns dich ihnen

8

In *Hörabschnitt 14* you tell a Berliner, Imke Thomas, about your stay as a tourist in Berlin. You can prepare your answers first if you want to, but they are fairly simple, so you should be able to take part in this conversation without preparation.

Bitte sprechen Sie mit Imke Thomas über Ihren Aufenthalt in Berlin.

Imke Thomas	Und seit wann sind Sie schon in Berlin?
Sie	*(I've been here for four days.)*
Imke Thomas	Und gefällt es Ihnen? Was haben Sie denn schon gesehen?
Sie	*(Oh yes, I really like it. I've been to the Reichstag and to the Potsdamer Platz building site.)*
Imke Thomas	An der Baustelle am Potsdamer Platz? Warum denn das?
Sie	*(I heard about it and I wanted to see what's going on there.)*
Sie	*(Do you think that it'll become the new centre of Berlin?)*

Imke Thomas	Wahrscheinlich, aber mir ist das alles zu gigantisch. Und was haben Sie noch gemacht?
Sie	*(I walked down Unter den Linden and saw the Brandenburg Gate.)*
Sie	*(And then I took a trip on the* S-Bahn *from Alexanderplatz.)*
Imke Thomas	Und wie lange bleiben Sie noch?
Sie	*(I am staying for two more days and then I'm flying home.)*
Imke Thomas	Na, dann noch viel Spaß.
Sie	*(Thank you.)*

Lösungen Thema 7

Lerneinheit 1

The correct answer is 2. *Sich beteiligen* means 'to be involved', or 'to take part in something'.

---

2 Die Stadtplanung geht ihn/Herrn Feldtkeller etwas an.

3 Mein Privatleben geht sie/die Bürgermeisterin nichts an.

4 Der Umweltschutz geht sie/die Umweltbeauftragte etwas an.

5 Die Bierpreise in der Kneipe gehen sie/die Umweltbeauftragte nichts an.

6 Der Bau neuer Wohnviertel geht ihn/den Stadtplaner etwas an.

1	Finanzen der Stadt	☒
2	neue Arbeitsplätze schaffen	☒
3	Schulen und Sport in Tübingen	☒
4	Fahrkarten kontrollieren	❑
5	Krankenscheine ausfüllen	❑
6	Stadtteile umbauen	☒
7	Wohnungen renovieren	❑

---

1 a The local council elects Frau Steffen.

2 b She is elected for 8 years.

3 b The main problem facing Tübingen is lack of finance.

4 a Tübingen's money comes mainly from regional grants.

5 a Most people in Tübingen think that all problems should be solved by the city council.

6 b According to Frau Steffen, the police cannot be run by the inhabitants themselves.

---

1 a Das Wichtigste für einen Stadtplaner ist, Ideen zu entwickeln, wie eine vernünftige Stadt aussieht.

2 b Das Kasernengelände wurde in der Nachkriegszeit von der Bevölkerung gar nicht betreten.

3 a In dem neuen Stadtteil will man Wohnen und Gewerbe wieder zusammenbringen.

4 b In dem neuen Stadtteil werden neue Einwohner dazukommen.

5 b Dr. Setzler denkt, daß Tübingen keine Insel ist.

6

1 Herr Feldtkeller

2 Frau Steffen. (*Note that the word* Quartier *is not generally used to describe a district or area of a town – you would normally say* Stadtteil. Quartier, *originally a French word, is used here because the old barracks were occupied previously by the French army. Normally, it would refer to accommodation, e.g.* ein Quartier für die Nacht.)

3 Frau Steffen

4 Herr Feldtkeller

5 Herr Feldtkeller

6 Frau Steffen

7 Dr. Setzler

7

1 Die finanzielle Situation der Stadt **wird** sich auch in Zukunft nicht verbessern.

2 Man **wird** das ehemalige Kasernengelände zu einem neuen Wohn- und Gewerbegebiet umbauen.

3 In dem neuen Stadtquartier **werden** etwa sechstausend neue Einwohner und Einwohnerinnen leben.

4 Es **werden** etwa 2 000 – 2 500 neue Arbeitsplätze entstehen.

5 Es **werden** auch neue Einwohner dazukommen.

6 Tübingen **wird** zu schön und zu kitschig.

7 Die Stadt **wird** zu sehr Museum.

In sentences 6 and 7, werden *is used to mean 'to become'. In the other sentences it is used to form the passive.*

Herr Armsen	Autos haben viele Vorteile. Ich kann meine Tochter abends mit dem Auto von der Disko abholen. Das ist sicherer als mit dem Bus zu fahren.
Frau Klemke	(4) Ja, aber dafür braucht man doch kein Auto. Ihre Tochter kann doch mit dem Taxi fahren. Wenn sie es sich mit ihren Freundinnen teilt, ist das viel billiger.
Herr Armsen	Ja, gut. Aber ich benötige mein Auto für den Großeinkauf, z.B. wenn ich zwei Kisten Bier kaufe. Das ist auch billiger.
Frau Klemke	(2) So ein Unsinn. Was Sie am Bier sparen, geben Sie an Benzin aus, um zum Supermarkt vor der Stadt zu fahren.
Herr Armsen	Aber Autofahren spart Zeit. Ich komme schneller von zu Hause ins Büro.
Frau Klemke	(3) Na, das glaube ich aber nicht. Morgens sind doch alle Straßen verstopft, und man steht im Stau. Wenn Sie mit dem Bus oder der Straßenbahn fahren, können Sie in der Zeit die Zeitung lesen.
Herr Armsen	Und bei schlechtem Wetter muß ich nie im Regen stehen und auf den Bus warten, sondern sitze in meinem bequemen Auto.
Frau Klemke	(1) Das stimmt. Aber hier in der Stadt fahren die Busse so häufig, daß man nie länger als fünf Minuten warten muß. Und außerdem gibt es in der Stadt doch sowieso keine freien Parkplätze.
Herr Armsen	Das ist richtig, aber ich fahre trotzdem gern Auto.
Frau Klemke	(5) Also, ich nicht. Öffentliche Verkehrsmittel sind viel billiger und umweltfreundlicher.

9 No feedback is given here as you can hear what Frau Klemke said to her husband in *Hörabschnitt 1* and the written version is in the transcript booklet.

10 Your answer will almost certainly differ from the model answer given below. Compare it with yours and see whether your version can be improved.

Das Auto ist bequemer als die öffentlichen Verkehrsmittel. Es steht vor der Tür, und es ist Tag und Nacht verfügbar. Busse fahren nachts nicht, oder sie fahren nur sehr selten. Das Auto ist ein Vorteil, wenn ich den Großeinkauf mache, weil ich alles im Auto transportieren kann.

Mit dem Auto komme ich schneller in die Stadt als mit dem Bus. Und wenn es regnet, ist ein Auto ein großer Vorteil. Dann muß ich nicht auf den Bus an der Bushaltestelle warten. Und wenn ich eine lange Strecke fahren muß, ist der Bus ein Nachtteil, denn er ist unbequemer als das Auto.

Lerneinheit 2

1

1	völlig unmöglich	**d**	absolutely impossible
2	im weiteren Umkreis	**a**	in the wider surroundings
3	den täglichen Bedarf decken	**c**	to cover daily needs
4	sich bei Car-sharing anschließen	**b**	to join a car-sharing scheme

2

1. Frau Patzwahl hat ein halbes Auto.
2. Frau Patzwahl macht Car-sharing mit einer anderen Familie.
3. Herr Winter glaubt, daß der Nahverkehr auf den Dörfern noch nicht so ausgebaut ist.
4. Herr Baumann meint, daß man schon ein Auto zum Einkaufen braucht.
5. Frau Hartmann benutzt ihr Auto im Moment sehr wenig.
6. Frau Hartmann wird sich Car-sharing anschließen, wenn das Auto kaputtgeht.

3

1. Kannst du dir vorstellen, in Grünau zu wohnen?
2. Kannst du dir vorstellen, mit dem Bus zur Arbeit zu fahren?
3. Kannst du dir vorstellen, kein Auto zu haben?

4 Können Sie sich vorstellen, ohne Telefon zu leben?

5 Können Sie sich vorstellen, ohne Arbeit glücklich zu sein?

6 Können Sie sich vorstellen, auf einer einsamen Insel zu leben?

---

2 Die Leute zeigen, wie wenig Platz Busbenutzer verbrauchen.

As you may have noticed, not all of the questions were completely straightforward. In such cases, quotations from the text are given which should have given you the clue you needed.

1 Sie wollen zeigen, wie wenig Fläche 40 Fahrgäste des öffentlichen Nahverkehrs im Gegensatz zur Blechlawine benötigen.

2 Normalerweise ist die Straße voll mit Pkws.

3 Ja, der öffentliche Nahverkehr verbraucht weniger Fläche als der Individualverkehr. („*... wie wenig Fläche 40 Fahrgäste des öffentlichen Nahverkehrs im Gegensatz zur Blechlawine benötigen.*“)

4 Busse und Bahnen sind ein gutes Beispiel für den öffentlichen Dienst. („*... Busse und Bahnen sind ein Beispiel von vielen für bürgernahe öffentliche Dienste, ...*“)

5 Ja, Deutschlands Wirtschaft braucht Busse und Bahnen. („*... die unverzichtbar sind für ... den Wirtschaftsstandort Deutschland.*“)

---

1 e Wer Auto fährt, braucht einen Führerschein.

2 c Wer mit dem Bus fährt, kann Zeitung lesen.

3 f Wer mit dem Fahrrad fährt, bleibt fit.

4 a Wer kein Auto hat, spart viel Geld.

5 b Wer Deutsch lernt, muß viel üben.

6 d Wer Pkw fährt, braucht einen Parkplatz.

---

1 a Der FVV erhöht jedes Jahr die Preise.

2 b Die Preise steigen diesmal um durchschnittlich acht Prozent.

3 b Der städtische Zuschuß wurde zum 1. Juli reduziert.

4 b Man kann einen Monat lang mit der bunten Karte fahren.

5 a Die Fahrkarte für die Kurzstrecke in der Spitzenzeit kostet jetzt 20 Pfennig mehr.

8

	bisher	**jetzt**
bunte Monatskarte	76 DM	83 DM
städtischer Zuschuß	20,50 DM	10 DM
Einzelfahrschein in der Talzeit	2 DM	2,20 DM
Einzelfahrschein im Berufsverkehr	2,60 DM	2,80 DM
Kurzstrecke in der Talzeit	1,50 DM	1,60 DM
Kurzstrecke in der Spitzenzeit	2,10 DM	2,30 DM

9

- Der städtische Zuschuß ist jetzt 10,50 weniger als bisher.

(*Note that you can't use* kosten *here because this information relates to the city subsidy and not the cost to the customer.*)

- Der Einzelfahrschein in der Talzeit kostet jetzt 20 Pfennig mehr als bisher.
- Der Einzelfahrschein im Berufsverkehr kostet jetzt 20 Pfennig mehr als bisher.
- Die Kurzstrecke in der Talzeit kostet jetzt 10 Pfennig mehr als bisher.
- Die Kurzstrecke in der Spitzenzeit kostet jetzt 20 Pfennig mehr als bisher.

---

10 Model answers are provided in *Hörabschnitt 3*, and the written version is in the transcript booklet.

Lerneinheit 3

1 No feedback is given here as the activity includes its own feedback.

2

1 Mehrere Leute fahren in einem Auto zur Arbeit.

2 Eine Fahrgemeinschaft kann sich z.B. an einer Autobahnbrücke treffen. (*Note that* z.B. *is the abbreviation for* zum Beispiel.)

3 Weil sie dann eine Stunde zu früh im Büro wäre.

4 Bei Frau Remmeles Firma genießen Fahrgemeinschaften einen reservierten Parkplatz.

5 „Stattauto“ ist eine Car-sharing Initiative.

Note: The word Stattauto *is a play on the words* statt *(instead of) and* Stadt *(town).*

6 Frau Ockelmann bezahlt 200 Mark Aufnahmegebühr, 1 000 Mark Kaution und 20 Mark Vereinsbeitrag pro Monat.

7 In Hamburg gibt es 24 und in Berlin 100 Autos von „Stattauto".

Model answers are provided in *Hörabschnitt 4*, and the written version is in the transcript booklet.

---

1 Thomas und Kai kaufen **Blumen**.

2 Sie kaufen die **Blumen** für **Bettina**.

3 **Bettina** hat einen Unfall im **Blumengeschäft** gehabt.

4 Die Blumenverkäuferin hat Bettina gestern **ins Krankenhaus** gefahren.

5 Thomas und Kai gehen mit **den Blumen zu Sonjas und Bettinas Wohnung**.

6 Kai sagt, daß er Sonja **nicht** mag.

7 Bettina hat **eine Verstauchung**.

8 Sonja hat Bettina erzählt, daß Thomas und Kai nach **Tübingen gefahren** sind.

9 Sonja hat keine Zeit. Ihre **Straßenbahn** fährt gleich.

10 Thomas kauft Kai **einen Milchshake**.

---

1 Oh, Kai, guck **mal**, die schönen Blumen.

2 Schade, das tut mir **aber** leid.

3 Sie haben recht. Die sind aber **trotzdem** schön, finde ich.

4 Ach, das macht **doch** nichts.

5 Ja, aber **auf keinen Fall** war sie dieselbe Frau.

6 **Meiner Meinung nach** kann das nicht dieselbe Frau sein.

7 Das weißt du **doch**, Kai.

8 Ist die Bettina **denn** nicht im Krankenhaus?

9 Doch, aber **bestimmt** nicht heute.

10 Also, wenn sie diesen Unfall gehabt hat, mag sie **vielleicht** niemanden sehen.

---

2 Obwohl die Blumen teuer sind, kauft Thomas sie trotzdem.

3 Obwohl die Blumen aus Kunststoff sind, findet die Verkäuferin sie trotzdem schön.

4 Obwohl es nichts Ernstes war, hat man sie ins Krankenhaus gebracht.

5 Obwohl sie in einem Krankenhaus liegt, kann ich sie nicht besuchen.

6 Obwohl sie sich den Arm verletzt hat, muß sie nicht im Krankenhaus bleiben.

7 Obwohl sie schon einmal da waren, wissen sie nicht genau, ob Bettina da wohnt.

7

1 Mach **dir** keine Sorgen, Kai.

2 Bettina, wann durftest **du** nach Hause kommen?

3 Ich bin ausgerutscht und hab' **mir** den Arm verletzt.

4 Ich muß **mich** eine Woche ausruhen.

5 Ja, Sonja hat **mir** erzählt, daß du …

6 Die Straßenbahn fährt auch ohne **dich**!

7 Schämst du **dich** nicht?

8 Kannst du **mir** das erklären?

9 Du willst doch unbedingt mit **ihm** ausgehen!

10 Du hast immer gesagt, daß da nichts zwischen **euch** war!

11 Doch, Sonja, natürlich, aber du hast **uns** belogen …

12 Dann kaufe ich **dir** einen Milchshake.

13 Ach, Sonja, das ist unmöglich. Wir stehen hier und streiten **uns**.

14 Ich traue **ihm** nicht.

15 Ach, es tut **mir** leid, Thomas.

8

This is what your summary might look like:

Thomas und Kai gehen in das Blumengeschäft, um Blumen für Bettina zu kaufen. Sie reden mit der Verkäuferin über Bettinas Unfall. Die Verkäuferin erzählt ihnen, daß gestern eine Frau in dem Blumengeschäft gestürzt ist und sie sie ins Krankenhaus gefahren hat.

Dann gehen Thomas und Kai zu Sonjas Wohnung. Sie wollen Sonja die Blumen für Bettina geben. Aber dann öffnet Bettina die Wohnungstür und ist sehr überrascht, denn sie dachte, daß Thomas nach Tübingen gefahren ist. Und Thomas dachte, daß Bettina im Krankenhaus liegt. Sonja hat Thomas und Bettina belogen.

Deshalb streiten sich Bettina und Sonja. Und Thomas und Kai verlassen die Wohnung und gehen einen Milchshake trinken.

accident *Unfall*
aeroplane *Flugzeug*
arrival *Ankunft*
bus *Bus*
delivery van *Lieferwagen*
exhaust fumes *Abgase*
expensive *teuer*
fast *schnell*
good *gut*
journey *Reise*
late *spät*
lorry *Lkw* (abbreviation)
mobile *mobil*
motor-bike *Motorrad*
parking place/car-park *Parkplatz*
petrol *Benzin*
slow *langsam*
station *Bahnhof*
taxi *Taxi*
ticket *Karte*
to drive/go *fahren*
traffic jam *Stau*
tram *Straßenbahn*
transport *Transport*

S	A	G	U	E	Z	G	U	L	F	I	E
T	T	L	A	N	G	S	A	M	X	W	S
A	M	R	E	U	E	T	H	A	R	K	A
U	N	D	A	R	R	O	T	O	M	L	G
T	E	A	P	S	C	H	N	E	L	L	B
M	T	R	A	N	S	P	O	R	T	A	A
O	K	G	U	T	R	E	I	S	E	F	F
B	A	H	N	H	O	F	N	U	T	N	A
I	R	O	N	I	Z	N	E	B	S	U	H
L	T	Z	T	A	L	P	K	R	A	P	R
D	E	P	T	F	N	U	K	N	A	H	E
A	L	I	E	F	E	R	W	A	G	E	N

Lerneinheit 4

1 Papier kommt zum **Altpapier**.

2 Organische Abfälle kommen auf den **Kompost**.

3 Metall, Kunststoff und Verpackungen kommen in den **Gelben Sack**.

4 Glas kommt zum **Altglas**.

5 Chemikalien sind **Sondermüll**.

2

1 Separating waste correctly makes recycling easier. („... *um das Recyceln so einfach wie möglich zu machen.*")

2 *Der Gelbe Sack* is usually kept in the cellar. („*Der hängt normalerweise bei uns im Keller* ...")

3 The town of Tübingen tries to ensure that the environmental angle is always considered. („*Die Stadt Tübingen versucht bei ihren Planungen ... umweltverträglich zu handeln.*")

4 Students are responsible for the increase in car traffic. („*Das zweite Problem, das hängt mit den Studenten zusammen ... das ist das Auto.*")

5 The council has tried to deal with the traffic problem by improving public transport (*öffentlicher Personennahverkehr*) and narrowing streets („*Wir bauen zwar inzwischen die Straßen zurück, wir machen sie enger.*")

6 The two traffic problems he describes are using too much space („... *nimmt uns soviel Platz weg* ...") and pollution of the environment („... *verschmutzt die Umwelt* ...").

7 The four actions are:

- creating a better bus service („... *das Busangebot zu verbessern* ...")
- making the public pay for parking spaces („*Die Parkplätze werden bewirtschaftet, das heißt, man muß bezahlen.*")
- giving financial support to people who go to work by bus („... *geben Zuschüsse dafür, daß man mit dem Bus zur Arbeit fährt.*")
- improving cycle paths and the situation for cyclists („...*wir versuchen, die Fahrradwege, die Situation für Fahrradfahrer zu verbessern.*").

8 There were 18,000 students in Tübingen 10 years earlier. („... *vor 10 Jahren 18 000 Studenten* ...")

9 There were 10,000 students 30 years before. („... *vor 30 Jahren 10 000 Studenten* ...")

10 Dr. Setzler believes that Tübingen should opt for quality. („... *man muß sich sehr auf mehr Qualität ... [konzentrieren].*")

11 Frau Hartmann thinks that people have to learn to resign themselves to imposing restrictions. („ ... *daß wir lernen, damit umzugehen, daß wir uns beschränken müssen.*")

---

1 c **2** c **3** a **4** b **5** d **6** e **7** d **8** c

---

1 Müll soll richtig getrennt werden.

2 Sie bringt Glas in den (Alt)Glascontainer.

3 Batterien kommen zur Schadstoff-Sammelstelle.

4 Nein, Tübingen leistet sich als erste Stadt eine Umweltbeauftragte.

5 Die Stadt versucht, (bei ihren Planungen) umweltverträglich zu handeln.

6 Sie sagt, man verbraucht Boden, Energie und Wasser.

Gelber Sack: Zahnpastatuben, Joghurtbecher, Dosen, Saftkartons, Plastikflaschen, Verschlüsse, Deckel, Beutel, Vakuumverpackungen, Aluminiumfolie

Altpapier: Zeitungen, Kataloge, Illustrierte

Altglas: Flaschen, Obstgläser

Kompost: Gemüseabfälle, Essensreste

Sondermüll: Insektenspray, Batterien, Altöl

---

1 d Der Müll wird richtig getrennt, das heißt, man sortiert Papier und Glas.

2 g Emissionen werden minimiert, das heißt, man reduziert Abgase.

3 a Die Parkplätze werden bewirtschaftet, das heißt, man muß bezahlen.

4 f Der Plastikabfall wird zerkleinert, das heißt, man schneidet ihn klein.

5 c Die Situation für Fahrradfahrer wird verbessert, das heißt, man baut mehr Fahrradwege.

6 b Der Hund wird gebadet, das heißt, man wäscht ihn.

7 e Straßen werden zurückgebaut, das heißt, man macht sie enger.

---

7 In Tübingen **wird versucht**, umweltverträglich zu handeln, das heißt, die Umweltbelange **werden** bei allen Planungen **berücksichtigt**. Zum Bauen **wird** natürlich Boden **gebraucht**. Und auch Wasser und Energie **werden verbraucht**, daß heißt, Flächen **werden** für Parkplätze und Straßen **versiegelt** und wertvolle Ressourcen **werden benutzt**.

---

8 You may have given more detail in your answers than in those below. Make sure, though, that you have conveyed the same meaning as in the words emboldened below.

2 Es gibt **zu viele** Verkaufsverpackungen.

3 Das Problem ist hier der **Hausmüll**.

4 Die Größe der Mülltonnen ist **kein** Problem.

5 Einwegflaschen kommen **auch** in die Mülltonnen.

6 Der **Verpackungsmüll** macht etwa dreißig Prozent des **Hausmülls** aus.

7 Die Mülldeponien sind **voll**.

8 Es gibt **immer mehr** Müllverbrennungsanlagen.

9 Die Bürger und Bürgerinnen protestieren, weil sie **am Müllproblem interessiert sind**.

9

2 Wieviel Prozent des Hausmülls betragen Papier und Pappe?

Papier und Pappe betragen 20% des Hausmülls.

3 Wieviel Prozent des Hausmülls machen Kunststoffe und Textilien aus?

Kunststoffe und Textilien machen 9% des Hausmülls aus.

4 Wieviel Prozent des Hausmülls machen organische Abfälle aus?

Organische Abfälle machen 43% des Hausmülls aus.

5 Wieviel Prozent des Hausmülls betragen Metalle?

Metalle betragen 4% des Hausmülls.

6 Wieviel Prozent des Hausmülls sind Reststoffe?

12% des Hausmülls sind Reststoffe.

Model answers are provided in *Hörabschnitt 5*, and the written version is in the transcript booklet.

Lerneinheit 5

1 **a** The fence is made of cardboard boxes.
2 **b** The gate is made of a shelf.
3 **a** The staircase is made of wooden boxes.
4 **b** The door is a chalk drawing.
5 **a** The room is furnished in a modern style.
6 **a** The house is full.

1 **d** Mit Kartons da bau'n wir zuerst den Zaun.
2 **a** Ein Regal davor wird das Gartentor.
3 **e** Für die Treppe 'rauf stell'n wir Kisten auf.
4 **f** Danach malen wir eine Kreidetür.
5 **c** Und das Zimmer wird ganz modern möbliert.
6 **b** Damit ist ganz toll unser Haus nun voll.

The correct pronunciation is provided in *Hörabschnitt 6*, and the written version is in the transcript booklet.

1 **b** Bio-Logisch!
2 **d** RADlager
3 **c** Fair Trade
4 **a** Natur und Mode

1 Bei *Bio-Logisch* kann man Gemüse, Suppenhühner, Puten, Nudeln und Marmelade (und auch Milchprodukte) kaufen.
2 Bei *Fair Trade* kann man unter anderem Kaffee, Tee, Kakao, Vollrohrzucker und Schokolade kaufen.
3 *RADlager* bietet eine große Auswahl von Farhrrädern, ausführliche Beratung und exzellenten Service.
4 Die Produkte von *Fair Trade* kommen aus Asien und Südamerika.
5 *Natur und Mode* produziert seine Wäsche in einheimischen Betrieben.

1 We offer a wide range of organic produce.
2 We are completely open about and accountable for what we do. (Note that the Euroword *transparent* is creeping into English usage nowadays.)
3 We prefer locally grown produce.
4 We offer seasonal fruit and vegetables.
5 We avoid excess packaging.

7

2 Welche Lebensmittel bevorzugt die Regionalgemeinschaft?
3 Welchen Handel fördert die Regionalgemeinschaft?
4 Welche Bauern und Bäuerinnen unterstützt die Regionalgemeinschaft?
5 Welchen Müll vermeidet die Regionalgemeinschaft?

8

1 **c** ist mehrfach verwendbar *can be reused several times*
2 **d** ist sparsam im Verbrauch von Ressourcen *is economical with the use of resources*
3 **f** enthält weniger Schadstoffe *contains fewer toxic substances*
4 **e** gibt nur wenig Schadstoffe an die Umwelt ab *emits a minimum of harmful substances into the environment*
5 **b** wurde aus Altstoffen hergestellt *made from second-hand materials*
6 **a** fährt leise *has a low noise level*

9

1 **b** Recyclingpapier wird aus Altstoffen hergestellt.
2 **c** Mehrwegflaschen sind mehrfach verwendbar.
3 **c** Schadstoffarme Lacke enthalten weniger Schadstoffe.
4 **c** Wassersparende Armaturen sind sparsam im Verbrauch von Ressourcen.

10

1 Recyclingpapier bekommt den Blauen Umweltengel, weil es aus Altstoffen/aus Altpapier hergestellt wird.
2 Mehrwegflaschen sind besser für die Umwelt als Einwegflaschen, weil sie mehrere Male verwendet werden (, und weil sie sparsam im Verbrauch von Ressourcen sind).

3 Schadstoffarme Lacke bekommen den Blauen Umweltengel, weil sie weniger Schadstoffe enthalten (, und weil sie weniger Schadstoffe an die Umwelt abgeben).

4 Wassersparende Armaturen sind besser für die Umwelt, weil sie sparsam beim Verbrauch von Ressourcen umgehen (, und weil sie Wasser sparen).

---

1 Woher kommen/sind Sie?

2 Wo arbeiten Sie? (Wo sind Sie beschäftigt/angestellt?)

3 Sind Sie Beamter (von Beruf)?

4 Wann kann man Sie treffen?

5 Was machen Sie?

6 Wer findet die Informationen interessant?

7 Warum sind die Informationen wichtig?

8 Sind Sie grün (ein Grüner)?

You were questioning *den Blauen Umweltengel*!

Lerneinheit 6

Landwirtschaft

das Unkraut weed
der Dünger fertilizer
das Ackerland arable land
der Kuhstall cowshed
das Getreide grain
die Viehherde cattle herd
der Pflug plough
der Bauernhof farm

Andere Vokabeln

die Kette chain
die Richtlinie guideline
das Schutzgebiet protected area
der Kreislauf cycle
die Auswirkung effect
die Befriedigung satisfaction

Your summary might look something like this:

Peter Bosch has been farming organically on the outskirts of Tübingen since 1988/89. His production methods protect the environment. He produces cereal crops, sunflowers and milk, which is sold to the dairy in Tübingen. Peter Bosch is not allowed to use chemical pesticides.

There are also guidelines affecting the way in which farm animals are cared for to make it possible for them to lead a relatively natural life. Peter Bosch wants to change his existing cowshed as soon as he can afford it.

3

1 Peter Bosch betreibt organische Landwirtschaft.

2 Die Milchviehherde produziert Biomilch.

3 Das Tübinger Milchwerk verkauft die Milch.

4 Auf dem verbleibenden Ackerland baut er Konsumgetreide an.

5 Er vernichtet Unkraut mit dem Pflug oder mit der Hand, mechanisch.

6 Er hält die Kühe im Kuhstall.

4

1 b Herr Bosch ist Ökobauer geworden, weil sein Hof mitten in einem Wasserschutzgebiet liegt.

2 b Herr Bosch darf seinen Kuhdung nicht überall liegenlassen, denn er enthält auch Nitrat.

3 c Herr Bosch darf 20 Hektar um den Trinkwasserbrunnen herum nichts machen.

4 c Die Bürgerinitiative gegen den Straßenbau wurde von vielen Leuten unterstützt.

5 b Nitrat sickert ins Wasser, wenn ein Bauer zu wenig Ackerland und zu viel Dung hat.

6 a Herr Bosch ist immer noch sehr gerne Ökobauer, weil es Befriedigung bringt.

5

2 Er darf Getreide anbauen.

3 Er darf nicht überall Kuhdung benutzen.

4 Er darf beim Trinkwasserbrunnen nicht düngen.

5 Er darf gegen den Straßenbau protestieren.

6 Er darf Kunstdünger nicht benutzen.

Note the position of nicht *before* düngen *in sentence 4, and before* benutzen *in the last sentence.* Nicht *always precedes the thing that it is negating. Compare the position of* nicht *in these sentences with its position in sentence 3 before* überall.

6

This text will most certainly differ from yours. Check, however, that you got the word order right in the constructions in bold.

Mein Problem ist, **daß** ich nicht überall **düngen darf**. Ich darf zum Beispiel um die 20 Hektar um den Trinkwasserbrunnen keine Düngemittel benutzen. **Im Gegensatz zur etablierten Landwirtschaft darf ich** auch keine Nitrate **benutzen**, ich darf nur natürlichen Dünger auf meinem Ackerland liegenlassen. **Wenn ich Landwirtschaft betreibe**, das heißt, wenn ich Getreide anbaue, **muß ich** das Unkraut mit der Hand vernichten. Das bedeutet sehr viel Arbeit. Es ist auch ein Problem, daß die Gemeinde eine neue Straße baut und ich immer weniger Ackerland habe.

	Frau Hartmann	Herr Winck	Frau Seeger
Fleischskandal	✗		
Mode			✗
Babynahrung	✗		
Preisvergleich		✗	
Bio ist gesund			✗
Ökoprodukte sind teuer		✗	

	Feld	Wiese	Boden	Heu	Getreide
instand setzen	✗	✗			
pflügen			✗		
ernten				✗	
mähen					✗
dreschen					✗

Model answers are provided in *Hörabschnitt 7*, and the written version is in the transcript booklet.

Petra Kelly's motto could be translated as follows: Make a start now, don't wait for things to get better. They'll improve automatically the moment you start.

1. Petra Kelly wurde in Günzburg geboren./Petra Kellys Geburtsort heißt Günzburg.
2. Sie ging nach Amerika, weil ihre Mutter und ihr Stiefvater in die USA gingen.
3. Sie studierte in Washington und Amsterdam.
4. Die Europäische Gemeinschaft war ihr Arbeitgeber in Brüssel.
5. Sie arbeitete in den Bereichen Soziales, Gesundheitsschutz und Umwelt.
6. Sie verließ die SPD, weil sie mit anderen die politische Vereinigung Die Grünen gründete.
7. Sie war Sprecherin der Grünen.
8. Sie war Vorsitzende von der Grace P. Kelly Vereinigung zur Unterstützung der Krebsforschung für Kinder und des Bundes für Soziale Verteidigung.

Lerneinheit 7

1

1. Herr Alker
2. Herr Lohmeier
3. Frau Kossel
4. Frau Kuhn

Note how both Herr Alker and Frau Kuhn put Bei offenem Fenster *at the beginning of a sentence to stress the severity of the noise problem when the window is open. Germans tend to put the most important element of a sentence at the very beginning, whereas in English important words are stressed by means of intonation.*

2

1. Dann muß ich in meiner eigenen Wohnung **schreien** …
2. Hier ist es immer **laut**.
3. Ein Krankenwagen **saust** in die Charité.
4. Die Straßenbahn **quietscht**.
5. Bei offenem Fenster ist der **Lärm** unerträglich.
6. Zum Glück schlafe ich auch in einem **ruhigeren** Zimmer.

3

2. Wenn sie sich unterhalten will, schreit sie.
3. Wenn das Fenster offen ist, findet Herr Alker den Lärm unerträglich.
4. Wenn sie zu Hause ist, telefoniert Frau Kuhn viel.
5. Wenn der Lärm mörderisch ist, hat Herr Lohmeier Schlafstörungen.

4

1. **b** Bremsen quietschen
2. **a** Sirenen heulen
3. **g** U-Bahnen rattern
4. **c** Autotüren knallen

5 **h** Motoren heulen auf

6 **e** Straßenbahnen klingeln

7 **d** Autos hupen

8 **f** Lkws dröhnen

It's a good idea to reserve a section of your Notizbuch for verbs to do with noises and the creatures or things that make them, e.g. Schwein – grunzen; Glocke – läuten; Wecker – klingeln; Echo – hallen.

---

1 Falsch. Robert Penz ist **dreizehn** Jahre alt.

2 Richtig.

3 Falsch. Es ist gut, den Motor **auszuschalten**.

4 Falsch. Die Autoabgase **haben** mit saurem Regen zu tun.

5 Falsch. Das „Greenteam" hatte **Plakate** aufgestellt.

6 Falsch. Nach der Aktion sind die Leute **umweltbewußter** geworden.

7 Richtig.

Note the way in which Germans combine two nouns, as in the word Umweltsünder *in question 6, for example. It is often difficult to translate these compound words, because there isn't an exact English equivalent. You can't really translate* Umweltsünder *as 'environmental sinner'; you would have to say something like 'someone who acts in a way which harms the environment'.*

---

1 Frau Pape fährt nachts nicht allein mit dem Bus, weil sie Angst hat.

2 Sie fährt mit dem Taxi oder läßt sich nach Hause bringen.

3 Frau Pape liest und hört viel über Vergewaltigungen und Überfälle.

4 75% aller Frauen haben im Dunkeln Angst auf der Straße.

5 Sie fordert, daß die Straßen wieder sicherer werden müssen.

6 Man kann jetzt vom Bus aus ein Taxi zur Bushaltestelle bestellen.

---

2 Frau Pape hat Angst vor Überfällen.

3 Herr Müller hat Angst vor Arbeitslosigkeit.

4 Frau Sander hat Angst vor steigenden Mietpreisen.

5 Herr Fritz hat Angst vor Mäusen.

6 Frau Steiner hat Angst vor dem Autofahren.

Note the use of the dative in answers 4, 5 and 6: the preposition vor *in the phrase* Angst haben vor *always takes the dative.*

---

8 Model answers are provided in *Hörabschnitt 10*, and the written version is in the transcript booklet.

---

9 Here is one possible answer:

Liebe Anita,

vielen Dank für Deinen letzten Brief. Du weißt ja, daß ich in einer Großstadt wohne. Hier gibt es viele Probleme mit der Luftverschmutzung. Die Autoabgase sind sehr schlimm. Oft ist die Luft in der Stadt sehr schlecht.

Ich wohne an einer Straße mit viel Verkehr, da ist es immer laut, Tag und Nacht. Oft kann ich deshalb nachts nicht schlafen. Und wenn die Busse, Lastwagen und Krankenwagen an meiner Wohnung vorbeifahren, kann ich das Radio nicht verstehen.

Wie ist es bei Euch? Habt Ihr auch solche Probleme? Findest Du es auch gefährlich, abends allein mit dem Bus zu fahren? Ich mache das nie. Ich fahre mit dem Auto oder nehme ein Taxi. Es gibt zu viele Überfälle hier.

Schreib mal wieder!

Viele Grüße,

Dein/e ______________

Your letter will probably differ from this model answer, but make sure that you check your sentence structure. It is probably best to check systematically for one thing at a time and go through what you have written several times.

One checking system that you may find helpful is ***WAVE****. Look at the different aspects of your work in this order:*

W*ord order*

A*djectives and adverbs*

V*erbs*

E*verything else!*

Don't worry if your letter doesn't look much like the one above. A lot of language learning is done by practising variations on a theme.

If you really feel your letter wasn't a great success, have another go by simply changing some of the words in the model letter. You will at least know that you have got the basics right.

You could take the sentence „Wir haben Probleme mit Autoabgasen hier in der Stadtmitte.", *for example, and make it into* „Wir haben Probleme mit Autoabgasen in unserem Dorf."

Lerneinheit 8

Here are some answers, with alternatives.

1 Frau Behrens wohnt in München/ in einer kleinen Wohnung.

2 Die Wohnung ist nur 55 Quadratmeter groß/eng/klein, hat einen großen Flur, eine Küche und ein sehr kleines Kinderzimmer.

3 Die Familie braucht eine größere Wohnung, weil Frau Behrens mit ihrem zweiten Kind schwanger ist.

4 Größere Wohnungen sind zu teuer.

5 Sie hat nicht genug Platz.

---

2 Sie hofft, eine bezahlbare Wohnung zu finden.

3 Sie hofft, in eine größere Wohnung umzuziehen.

4 Sie hofft, eine niedrige Miete zu zahlen.

5 Sie hofft, ausreichend Platz zu haben.

Umziehen *in sentence 3 is a separable verb, so* zu *goes between* um *and* ziehen.

---

1 *warm* (the others relate to costs)

2 *Wohnzimmer* (the only word for a room)

3 *Wohnung* (the other words are rooms)

4 *Marke* (it means 'brand', the other words are currencies)

5 *Großvater* (the others are not the names of family members).

---

a Sie können bei Kerzenlicht essen. (1)

b Sie können im Kanal baden. (3)

c Sie können draußen schlafen. (6)

d Sie können interessante Nachrichten in alten Zeitungen finden. (2)

e Sie können mit wenigen Kleidungsstücken auskommen. (8)

f Sie können ohne Zähne herumlaufen. (4)

g Sie können Selbstmord begehen. (9)

h Sie können sich sonnen. (7)

i Sie können überall zu Fuß hingehen. (5)

5

1 **Was** soll ich verwenden? Kerzen.

2 **Welche** Zeitung kann ich lesen? Die von gestern.

3 **Wo** soll ich mich waschen? In der Spree oder in der Havel.

4 **Wie** soll ich meine Zähne pflegen? Gar nicht.

5 **Warum** soll ich laufen? Laufen ist sehr gesund.

6 **Wie oft** soll ich meine Kleidung wechseln? Sie können sie alle zwei Tage wenden.

6

1 Die Hotels werfen jeden Tag Lebensmittel weg.

2 Die „Hamburger Tafel" ist eine private Initiative.

3 Sie gibt Lebensmittel an Suppenküchen.

4 Sie landen auf dem Müll.

5 20% aller Lebensmittel werden weggeworfen.

6 Herr Hugo ist gerade arbeitslos und hat viel Zeit.

7 Es gibt über 6 000 Obdachlose in Hamburg.

8 Die Heilsarmee will mit einer mobilen Küche unter die Brücken gehen.

7

1 d Die Privatinitiative will die Ware an soziale Einrichtungen verteilen, damit die Nahrungsmittel in leeren Mägen landen.

2 a Es ist ein Skandal, daß viele Menschen hungern.

3 b Täglich werfen Hotels Lebensmittel weg, während Menschen hungern.

4 c Viktor Hugo hat Zeit, die er sinnvoll nutzen will.

8

1 Obdachlosigkeit in Großstädten/großen Städten ist ein Skandal.

2 Suppenküchen kommen bei den Obdachlosen gut an.

3 Die Hotels sind wirklich begeistert von der Idee.

4 Die Leute wollen die Situation nicht mehr tolerieren.

9

1 Eine Großstadt in Norddeutschland. **Hamburg**

2 Man soll dreimal am Tag **essen**.

3 Gruppe, die etwas Konstruktives macht; eine gute, neue Idee. **Initiative**

4 Käse, Brot, Kekse, Butter und Wurst sind **Lebensmittel**.

5 Gut für Obdachlose, die Hunger haben; man kann hier essen und trinken. **Suppenküche**

6 Leute ohne viel Geld sind **arm**.

7 Ein Millionär ist **reich**.

8 Etwas, was man wegwirft. **Müll**

9 Organisationen oder Gruppen, die etwas für die Gesellschft tun; die „Hamburger Tafel" gibt Lebensmittel an sie. **Einrichtungen**

10 Etwas klar machen; etwas deutlich machen. **erklären**

The name of the organisation is **HEILSARMEE**.

Model answers are provided in *Hörabschnitt 11*, and the written version is in the transcript booklet.

Lerneinheit 9

1 Dr. Setzler identifies finances as the main problem in Tübingen.

2 Herr Kost says the problem has got worse in the last five or six years.

3 Ilona Bitzer says that standards are being lowered because the town has less money to spend.

1 Richtig.

2 Richtig.

3 Falsch. Die Uni ist **viel** größer geworden.

4 Falsch. Die Stadt hat etwa **80 000** Einwohner.

5 Richtig.

6 Richtig.

7 Falsch. Parken ist **ein** Problem in Tubingen.

Wer spricht von	Alice Kurz	Rudolf Dobler
1 der Schulzeit?	❑	☒
2 Problemen durch Studenten?	☒	❑
3 Parkplatzgebühren?	☒	❑
4 den neuen Stadtteilen?	❑	☒

4

1 Die Stadt hat wenig Geld, die Stadt hat keine **Industrie**.

2 Tübingen war noch nie reich, aber in den letzten fünf Jahren ist es ganz **deutlich** geworden.

3 Nun werden viele Dinge, die man früher gemacht hat, **aufgeschoben**.

4 Man versucht eben, den Standard zu **reduzieren**.

5 Das Leben in Tübingen, aber natürlich auch in **Deutschland** ganz allgemein, ist doch bequemer, besser, schöner geworden.

6 Die Stadt hat achtzigtausend **Einwohner**.

7 Deshalb bricht ab neun Uhr **morgens** der Verkehr zusammen.

8 Es gibt so viele Studenten in Tübingen, und sie bekommen nicht alle ein Zimmer **innerhalb** der Stadt.

9 Die Neubaugebiete mußten auf die **Höhe** ziehen.

5

1 Beuys ist in Krefeld geboren.

2 Er arbeitete an der Staatlichen Kunstakademie in Düsseldorf.

3 Er wollte zeigen, wie man die Situation verändern kann.

4 Er stellte eine Axt, ein Klavier, Lautsprecher und Tafeln zusammen.

5 Weil er die Menschen schockieren wollte (und all ihre Sinne aktivieren wollte).

6 Für Beuys war Marx ein großes Fragezeichen.

6

2 Beuys ist **für** ungewöhnliche Zusammenstellungen.

3 Beuys ist **gegen** eine Isolierung der Kunst.

4 Beuys ist **für** die Aktivierung aller Leute.

5 Beuys ist **gegen** den Kapitalismus.

6 Beuys ist **gegen** alle Parteien.

7

2 Beuys engagierte sich für die Umwelt.

3 Beuys kandidierte für die Grünen.

4 Beuys plädierte für neue Methoden in der Kunst.

Lerneinheit 10

1. Die sechs Kriterien sind Umwelt, Gesundheit, Wohlstand, Versorgung, Sicherheit und Kultur.
2. Tübingen ist als besonders lebenswerte Stadt ausgezeichnet worden.
3. Tübingen hat sehr gute Werte im Bereich Gesundheit, Kultur und Versorgung.
4. Der größte Nachteil sind die hohen Mieten.
5. Es gibt keine Industrie in der Stadt und keine Stadtautobahn. („*Kein Industrieschlot verdüstert den Himmel, und keine Stadtautobahn durchschneidet die City.*“)

---

3. Leipzig hat weniger Umweltpunkte als Tübingen bekommen.
4. Leipzig hat mehr Kulturpunkte als Tübingen bekommen.
5. Der Wohlstand in Leipzig ist niedriger als (der Wohlstand) in Tübingen.
6. Die Lebensqualität in Tübingen ist höher als (die Lebensqualität) in Leipzig.
7. Tübingen hat mehr Gesundheitspunkte als Leipzig bekommen.
8. Tübingen hat weniger Umweltprobleme als Leipzig.
9. Tübingen hat mehr Sicherheitspunkte als Leipzig bekommen.

Note that instead of bekommen *you could also use* erhalten.

In der Stadt	Auf dem Land
die Abgase	das Ackerland
die Fabriken	die Bauernhöfe
die Blechlawine	die Viehherde
das Gewerbe	die Wiesen
der Obdachlose	
die Parkplätze	
die Luftverschmutzung	

Here are some possible answers. Please compare them carefully with your own sentences.

1. **Im Gegensatz zum Land** gibt es in der Stadt **weniger** Ackerland.
2. In der Stadt gibt es **nicht nur mehr** Fabriken, **sondern auch mehr** Gewerbe.
3. Auf dem Land gibt es **mehr** Wiesen **als** in der Stadt.
4. **Im Gegensatz zur Stadt** gibt es auf dem Land **mehr** Viehherden.
5. In der Stadt gibt es **weniger** Bauernhöfe **als** auf dem Land.
6. In der Stadt gibt es **nicht nur mehr** Abgase, **sondern auch mehr** Luftverschmutzung.

5

1. The sense of community is stronger in a village than in a town.
2. Many people have moved away from the village, and people from cities have moved to the countryside.
3. Village life means that you know everybody.
4. You can meet village people regularly in the pub, when you do the shopping or just on the street.
5. The building of roads in the village is the business of all local people.
6. Those who are against the building of roads try to prevent it.
7. Discussion works well in a small rural community because you can confront any problem directly as soon it arises.
8. Roads and traffic are a problem in rural areas because public transport is bad, so people use cars more. And more cars require more roads.

6

„Also, ich denke, **im** Dorf ist die Gemeinschaft und das Gemeinschaftsgefühl stärker als **in der** Stadt, obwohl das sicherlich auch **in den** letzten Jahrzehnten anders geworden ist, weil einerseits viele Leute **aus dem** Dorf wegziehen und andererseits Leute **aus der** Stadt **aufs** Land ziehen. Aber Dorfleben bedeutet **für** mich, daß man alle kennt. Man trifft viele Leute regelmäßig **in der** Kneipe, **auf der** Straße oder **beim** Einkaufen. Und deshalb ist es nicht so anonym wie **in der** Stadt.“

7

1. **Wo** ist das Gemeinschaftsgefühl stärker als in der Stadt?

   Im Dorf.

2 **Wen** geht der Straßenbau etwas an?

Alle Bürger.

3 **Warum** hat sich das Gemeinschaftsgefühl in den letzten Jahrzehnten im Dorf geändert?

Weil viele Leute aus dem Dorf in die Stadt ziehen und andererseits Leute aus der Stadt aufs Land ziehen.

4 **Worüber** diskutieren die Leute auf dem Land direkt?

Über Probleme.

5 **Wogegen** sind manche Leute auf dem Land?

Sie sind gegen den Bau von Straßen.

6 **Welche** Verkehrsmittel sind auf dem Land schlecht und fahren zu selten?

Öffentliche Verkehrsmittel.

Model answers are provided in *Hörabschnitt 13*, and the written version is in the transcript booklet.

---

1 **Obwohl** Autofahren umweltschädlich ist, machen es 78% der Bevölkerung.

2 **Wenn** die Obdachlosen hungern, gehen sie zur Suppenküche.

3 **Obwohl** ich umweltbewußt bin, kaufe ich manchmal noch Einwegflaschen.

4 Die Bürgermeisterin kauft auf dem Markt ein, **wenn** sie Zeit hat.

5 Er redet, **obwohl** man ihn bei dem Lärm nicht hört.

6 Sie möchte nicht spazierengehen, **wenn** es dunkel ist.

Your summary is bound to differ from the model given here. Make sure that you check what you have written using the **WAVE** system.

Die Lebensqualität ist in der Stadt höher als auf dem Land.

In der Stadt gibt es mehr Kultur und mehr Krankenhäuser als auf dem Land. Aber auf dem Land ist die Natur intakter, und es gibt weniger Umweltverschmutzung als in der Stadt.

Im Dorf ist der Gemeinschaftsgeist besser als in der Stadt und man kann die Leute auf der Straße oder in der Kneipe treffen.

In der Stadt ist es oft lauter und hektischer als auf dem Land, aber auf der anderen Seite sind die öffentlichen Verkehrsmittel besser.

Ich kann mir gut vorstellen, auf dem Land zu wohnen. Ich persönlich würde gern auf dem Land leben, aber das geht leider nicht, weil ich in der Stadt arbeite.

Lerneinheit 11

1

1 c Wenn man einkaufen geht, soll man z.B. eine Baumwolltasche mitnehmen.

2 b Milch, Kakao und Säfte sind am umweltfreundlichsten in Mehrwegflaschen.

3 b Man soll keine Produkte kaufen, die mehrmals verpackt sind.

4 c Man soll nicht zu viele Lebensmittel kaufen.

5 a Man soll keine kleinen Portionen kaufen, weil sie viel Abfall verursachen.

6 b Man soll Nachfüllpackungen kaufen, weil sie weniger Abfall verursachen.

7 c Man soll keine Dosen aus Aluminium kaufen, weil ihre Produktion energie-intensiv ist.

2

1 **Wenn** ich einen Einkaufskorb mitnehme, brauche ich keine Plastiktüten.

2 Ich kaufe Säfte in Mehrwegflaschen, **weil** sie besser für die Umwelt sind.

3 Ich kaufe keine Miniportionen, **weil** ihre Verpackung teurer ist als ihr Inhalt.

4 **Wenn** ich keine mehrfach verpackten Produkte kaufe, verursache ich weniger Verpackungsmüll.

5 Ich kaufe keine Dosen aus Aluminium, **weil** ihre Herstellung viel Energie kostet.

3

Your answers should be similar to the model answers provided in *Hörabschnitt 14*, and the written version is in the transcript booklet.

4

1 a die Kiste *crate*

2 b der Verschluß *bottle top*

3 c das Etikett *label*

4 b anliefern *to deliver*

5 a ablösen *to take off*

6 b abschrauben *to unscrew*

7 c füllen *to fill*

1. Die Flaschen werden in den Kisten angeliefert.
2. Dann werden die Flaschen aus den Kisten genommen.
3. Danach werden die Verschlüsse abgeschraubt.
4. Anschließend werden die Reste aus den Flaschen geschüttet.
5. Dann werden die Etiketten abgelöst.
6. Anschließend werden die Flaschen gewaschen/gespült.
7. Zum Schluß werden die Flaschen getrocknet.
8. Danach werden die Flaschen mit Saft gefüllt.

---

1. Kirsten can find cans, bottles, plastic carrier bags and used syringes in her playground.
2. The two places which are particularly dirty are the playground and the park.
3. She is afraid of injuring herself.
4. Cars pollute the air.
5. Sometimes she can't breathe.
6. She can't play on the streets because there are too many cars on the move or parking.

Liebe Kirsten!

Vielen Dank für Deinen Brief.

Ich finde es auch schlecht, **daß Dein Spielplatz und der Park schmutzig sind**.

Wir versuchen, alle Parks und Spielplätze regelmäßig zu säubern, **aber es gibt in Hamburg zu viele Spielplätze und Parks**. Aber auch Du, Deine Eltern, Deine Freundinnen und Freunde können dabei helfen. **Ihr könnt den Müll gemeinsam sammeln**, um den Spielplatz sauberer zu machen. **Dann mußt Du keine Angst haben**, Dich zu verletzen.

Ich weiß, daß Autos und die von Autos verursachte Luftverschmutzung ein großes Problem sind. Wir wollen, **daß mehr Leute öffentliche Verkehrsmittel benutzen**.

Jeder kann dabei mitmachen und so der Umwelt helfen. Fährst du mit dem Bus? Und Deine Eltern? **Wenn Du und Deine Eltern öfter mit öffentlichen Verkehrsmitteln fahren**, dann verschmutzt Ihr die Luft viel weniger. Und wenn viele Leute das machen, wird die Luft besser.

Viele Grüße,

Dein Hans Meier

Bürgermeister

---

8 Model answers are provided in *Hörabschnitt 15*, and the written version is in the transcript booklet.

---

9 Your article might look something like this:

Eltern werden aktiv

Früher war der Spielplatz sehr schmutzig. Überall lag Müll herum, Dosen, Plastiktüten, leere Flaschen und auch gebrauchte Spritzen. Die Kinder konnten nicht auf dem Spielplatz spielen, weil es zu gefährlich war. Die Eltern hatten Angst, daß sich die Kinder verletzen. Und die Stadt hat nichts gemacht, deshalb haben die Eltern eine Initiative gegründet. Sie haben zusammen mit den Kindern den Spielplatz aufgeräumt. Sie haben den Müll aufgesammelt und zur Mülldeponie gebracht und auch die Spielgeräte repariert.

Jetzt ist der Spielplatz wieder sauber, und die Kinder können dort spielen. Es ist nicht mehr gefährlich. Die Eltern fordern jetzt, daß die Stadt den Spielplatz in Ordnung hält.

Lösungen Thema 8

Lerneinheit 1

1

1. Frau Herzog kann wieder in ganz Berlin spazieren und einkaufen gehen. Sie kann auch Straßen wiederentdecken, die sie als Kind entlanggelaufen ist. Die Menschen können wieder einfach zusammenkommen.
2. Die Wende war nicht positiv für die ältere Generation. Es gab viele Leute, die ihre Arbeit verloren.
3. Sein Leben ist besser geworden.
4. Er ist froh für seine Kinder, weil sie heute Englisch lernen und überall hinreisen können und viel mehr Möglichkeiten haben.
5. Nach der Wende war es besonders wichtig für Frau Herz, amerikanische Turnschuhe und ein Videogerät zu haben.
6. Herr Ansbach fühlte sich wie ein kleines Kind, weil man ihm alles erklären mußte: Die neuen Verkehrsregeln, das politische System, das Ausfüllen einer Steuererklärung.

Note that you don't have to say gehen *twice in sentence 1.*

Note also that in sentence 6 the verb ausfüllen *is used as a noun* – das Ausfüllen.

2

1. der Aufbau *construction, build-up*
2. die Besatzungszone *occupied zone*
3. die Genehmigung *permission*
4. die Grenze *border*
5. die Macht *power*
6. der Nationalfeiertag *national holiday*
7. die Norm *norm, standard*
8. die Schwerindustrie *heavy industry*
9. der Sieger *victor*
10. die Sperrzone *exclusion zone*
11. der Stacheldraht *barbed wire*
12. der Versorgungsengpaß *bottleneck, shortage of supply*
13. der Versorgungsmangel *supply problem*
14. der Volksaufstand *popular uprising*
15. der Eiserne Vorhang *the Iron Curtain*
16. die Wahl *election*
17. die Währung *currency*
18. alltäglich *everyday, ordinary*
19. bewachen *to guard*
20. bewaffnet *armed*
21. einführen *to introduce*
22. einrücken *to move in*
23. erschießen *to shoot dead*
24. fördern *to encourage, support*
25. quer durch *straight across*
26. reagieren *to react*
27. sich regen *to stir*
28. verfolgen *to pursue, promote*
29. eine Grenze ziehen *to draw up a border*

3

1. **b** Deutschland wird ein geteiltes Land
2. **d** Die DDR – der „Arbeiter- und Bauernstaat"
3. **c** Die Mauer
4. **a** Die friedliche Revolution

4

1. Die Sieger des Zweiten Weltkrieges teilten Deutschland in **vier** Besatzungszonen auf.
2. Die sowjetische Besatzungszone war im **Osten** Deutschlands.
3. 1948 wurde zuerst im **Westen** und danach im **Osten** eine neue Währung eingeführt.
4. Die **Sowjets** förderten die SED in der **östlichen/sowjetischen** Besatzungszone.

5

Der DDR-Staat kollektivierte **die Landwirtschaft**. Die Produktion von Kohle, Stahl, Metall usw. nennt man **Schwerindustrie**. Schuhe, Strümpfe und Toilettenpapier sind Beispiele für **Konsumgüter**. In den **Läden** der DDR konnte man in den 50er Jahren nicht immer alles kaufen. Die materielle Situation im **Westen** war besser, darum verließen viele Menschen die DDR. Die DDR-Regierung postierte **bewaffnete Soldaten** an der Grenze zur Bundesrepublik. Im Jahr **1953** gab es Proteste gegen die DDR-Regierung. Die Proteste wurden von sowjetischem **Militär** beendet.

---

1 Am 13. August 1961 wachten die Berliner auf und staunten.

2 Man hatte über Nacht eine Grenze quer durch die Stadt gezogen. (*Make sure that the verb is the second element in your sentence.*)

3 Bewaffnete Soldaten bewachten den Bau der Berliner Mauer.

4 DDR-Bürger konnten jetzt nicht mehr in den Westen reisen.

---

1 b Die Proteste in der DDR fanden Ende der achtziger Jahre statt.

2 c Auf die Demonstrationen der Bürger reagierte die DDR-Regierung mit Panik und mehr Polizei.

3 b Im Herbst 1989 kamen viele DDR-Bürger nicht aus Ungarn zurück, weil sie über Österreich in die Bundesrepublik ausreisten.

4 c Das Ende der DDR war am 3. Oktober 1990.

Datum	Ereignis
8. Mai 1945	Ende des Zweiten Weltkrieges
23. Mai 1949	Gründung der Bundesrepublik Deutschland
7. Oktober 1949	Gründung der DDR
17. Juni 1953	Volksaufstand in der DDR
13. August 1961	Bau der Berliner Mauer
Ende der 80er Jahre	Demokratisierung des Ostblocks
9. November 1989	Öffnung der Mauer
3. Oktober 1990	Deutsche Wiedervereinigung

Model answers are provided in *Hörabschnitt 1*, and the written version is in the transcript booklet.

Lerneinheit 2

1 The scenes which appear in the video are numbers 2, 3, 5 and 7.

2 Quotations are given in full so that you can check what Superintendant Magirius actually said.

1 It started as a very small and modest movement. „*Und das hat sehr klein und bescheiden angefangen …*"

2 Young people started meeting in the Nikolaikirche at the start of the Eighties. „*… und so haben sich hier junge Leute getroffen, aus Angst vor der großen Aufrüstungswelle Anfang der achtziger Jahre …*"

3 Some people were excluded from DDR society because of their political attitudes (that is, if they did not agree with the DDR regime). „*Daß einige ausgegrenzt werden aufgrund ihrer politischen Haltung …*"

4 The dissidents demanded the same human rights for DDR citizens as the DDR demanded when challenging the abuse of human rights elsewhere in the world.
„*… und es sind die Menschenrechte, die die DDR in der ganzen Welt einklagte, … auch hier gefordert worden.*"

5 Reunification was considered too risky because the two major powers possessed such large arsenals of weapons. „*… das war zu gefährlich, denn hinter beiden Machtblöcken standen ja riesen Waffenarsenale …*"

6 Those who had lived through the second world war were most afraid. „*… hatten wir, vor allem die wir noch als Kinder den Krieg erlebt hatten, die größte Sorge, daß sich das explosionsartig entladen könnte.*"

3

1 Für Frau Hart war die Wende das einschneidendste Erlebnis in ihrem persönlichen Leben.

2 Vor der Wende wollte sie, daß sich die Gesellschaft im Osten änderte.

3 Sie hätte es nicht für möglich gehalten, daß die Massen diese Veränderung bewirken könnten.

4 Im November 1989 hat Gesine Jüttner auf den Straßen demonstriert.

5 Sie wollte unter anderem Reisefreiheit, nicht mehr reglementiert werden, wo man hinfahren darf.

6 Katrin Hart hat immer gehofft, daß die Mauer wieder wegkommt, weil sie lange in Berlin gelebt hat.

7 Die Kontraste in dieser Zeit haben sie atemlos gemacht und völlig neu leben lassen.

---

1 Herbst 1989 war eine **unvergeßliche** und **atemberaubende** Zeit der deutschen Geschichte.

2 Die Wende war das **einschneidendste** Erlebnis in meinem persönlichen Leben.

3 Das war für mich wahnsinnig **beeindruckend** und hat mich gefangen genommen.

4 Diese Kontraste in der Zeit, die haben einen so **atemlos** gemacht.

---

1 Charlotte Hollmann war in London.

2 Nein, sie glaubte nicht an eine Wiedervereinigung zu ihren Lebzeiten.

3 Sie war in der Küche.

4 Sie dachte, jetzt ist sie völlig verrückt geworden.

5 Es war für sie einfach umwerfend und unvorstellbar.

6 Sie hatte Angst, daß etwas passiert – daß die Polizei oder das Militär eingreifen.

---

1 **d** I am excited. *Ich bin aufgeregt.*

2 **g** I am afraid. *Ich habe Angst.*

3 **f** I simply can't believe it. *Ich kann es einfach nicht glauben.*

4 **c** I am so surprised. *Ich bin überrascht.*

5 **e** It is unimaginable. *Es ist unvorstellbar.*

6 **a** I was worried. *Ich hatte Sorge.*

7 **h** It is overwhelming/mind-blowing. *Es ist umwerfend.*

8 **b** She went completely crazy. *Sie ist total verrückt geworden.*

Model answers are provided in *Hörabschnitt 3*, and the written version is in the transcript booklet.

---

8 Your summary will almost certainly differ from the model given here, but make sure that you check what you've written using the WAVE system.

Für viele Leute war die Zeit der Wende eine unvergeßliche und atemberaubende Zeit.

Friedrich Magirius und Charlotte Hollmann haben nicht an eine Wiedervereinigung geglaubt. Frau Hart hat immer gehofft, daß die Mauer wieder wegkommen würde, weil sie sich gut an den Mauerbau in Berlin erinnern konnte. Herr Magirius hatte Angst vor den Waffenarsenalen in Ost und West.

Frau Jüttner hat im Herbst 1989 in Leipzig für mehr Reisefreiheit demonstriert, weil sie nicht mehr reglementiert werden wollte. Alle waren sehr überrascht und beeindruckt, als die Mauer fiel. Für Frau Hart war die Wende das einschneidendste Erlebnis in ihrem Leben. Und Frau Hollmann in London konnte es sich zuerst gar nicht vorstellen, daß die Mauer gefallen ist.

Lerneinheit 3

1

1 Frau Rösner hat drei Kinder.

2 Die Kinder waren im Kindergarten oder in der Kinderkrippe.

3 Ihre Ehe dauerte vier Jahre.

4 Sie war 18 Jahre alt.

5 Der Staat hat sich gut um alleinerziehende Mütter gekümmert.

6 Sie konnten ein Jahr zu Hause bleiben, bei fast vollem Lohn.

2 Doreen Rösner **war** alleinerziehende Mutter in der DDR. Ihr Sohn **kam** mit vier Wochen in die Krippe. Sie **sah** ihre Kinder nur am Abend und am Wochenende. Abends **waren** die Kinder müde und **gingen** früh ins Bett. Ihre Ehe **dauerte** nur vier Jahre. Es **gab** viele Scheidungen in der DDR. Sie **blieb** nach der Geburt ihrer Kinder nicht zu Hause.

3 Your answers may be slightly different, but check that all the verbs are in the perfect tense.

1 Während der Woche hat Frau Rösner gearbeitet.

2 Sie hat ihre Kinder nur am Abend und am Wochenende gesehen.

3 Der Staat hat sich gut um alleinerziehende Mütter gekümmert.

4 Als ihre Tochter geboren wurde, hat sie sofort eine größere Wohnung bekommen.

5 Nein, sie ist nicht zu Hause geblieben.

The opinion of Fritz Dallmann in *Die LPG war alles* is closest to what Rudi Rosenkranz says in *Von der Wiege bis zur Bahre.*

---

1 Richtig.

2 Falsch. **Der Betrieb** hat bei Problemen in der Familie geholfen.

3 Falsch. Es gab **keine** Arbeitslosigkeit in der DDR.

4 Falsch. Frauen **haben von Anfang an in der DDR gearbeitet**.

5 Richtig.

6 Richtig.

7 Richtig.

Rudi Rosenkranz wohnt **in einer** Plattenbausiedlung. Früher hat er **in einer** LPG gearbeitet. Er ging zu Fuß **in den** Betrieb. Seine Kollegen fuhren **mit dem** Auto zur Arbeit. Wenn er **von der** Arbeit **nach** Hause kam, war er nicht kaputt – die Arbeit war nicht anstrengend. Oft hat er **in der** Mittagspause **mit den** Kollegen Karten gespielt. Sein Betrieb hat auch einen Arbeitsplatz **für** seinen Sohn gefunden. Seine Frau arbeitete ganz **in der** Nähe. **Nach der** Arbeit sind sie immer zusammen nach Hause gegangen.

---

1 Because you had to pay for them in hard foreign currency.

2 Cars produced by the DDR's socialist neighbours, like Lada and Skoda.

3 Wartburg and Trabant were the backbone of East German car production.

4 Patience.

5 Between 10 and 12 years.

6 They were sold for high prices because of the long waiting lists for new cars.

7 Its production stopped because East Germans preferred to buy Western cars.

8

1 In der DDR konnte man normalerweise keine Westautos kaufen, **weil** man sie mit Devisen bezahlen mußte.

2 DDR-Bürger fuhren meistens Trabants und Wartburgs, **denn** diese Autos konnte man in der DDR am besten bekommen.

3 Es gab in der DDR fast keine Westautos zu kaufen, **aber** man konnte Ladas aus der Sowjetunion kaufen.

4 Der Trabant war das beliebteste DDR-Auto, **obwohl** er klein und veraltet war.

5 Wenn man einen neuen Trabant haben wollte, brauchte man viel Geduld, **denn** man mußte zwischen 10 und 12 Jahren auf den Wagen warten.

6 **Weil** man so lange auf einen Trabant warten mußte, waren gebrauchte Trabants sehr teuer.

7 Nach der Wende wollte keiner mehr Trabis kaufen, **obwohl** man ihn modernisierte.

8 Das war das Ende der Trabant-Produktion, **denn** die Trabants fanden keine Käufer mehr.

9 **Weil** die Trabants keine Käufer mehr fanden, ging die Zwickauer Firma Pleite.

9

2 **a** Wann wurde die Trabant-Produktion beendet?

b Wo wurde die Trabi-Produktion beendet?

3 Was tragen seine kleinen Räder heute?

4 Wer hat die letzten Examplare in der Türkei aufgetrieben?

5 **a** Wie wurden diese Modelle nach Zwickau gebracht?

b Wohin wurden diese Modelle gebracht?

6 **a** Was kostet ein Trabant?/Wie teuer ist ein Trabant?/Wieviel kostet ein Trabant?

b Wie viele Trabants werden den Käufern angeboten?

c Wem werden die 444 Trabants angeboten?

Note that you have to use the dative in **6c** *because* den Käufern *in the answer is in the dative plural.*

10

Model answers are provided in *Hörabschnitt 4*, and the written version is in the transcript booklet.

Lerneinheit 4

1	Kommentar	**c**	Leipzig wird modernisiert.
2	Rudolf Huber	**g**	ein neues Konzept für die Leipziger Messe
3	Kommentar	**h**	große Auswahl in Leipzigs Innenstadt
4	Gesine Jüttner	**i**	Einkaufen – fast zu leicht gemacht
5	Gesine Jüttner	**a**	Ich persönlich habe mich nicht geändert.
6	Wolfgang Rotzsch	**b**	Reisefreiheit belebt die Wissenschaft.
7	Daniela Krafak	**d**	gute und schlechte Seiten der Wende
8	Kommentar	**e**	die Probleme der neuen Situation
9	Daniela Krafak	**f**	zu viel vom Westen kopiert

1 **a, c** **2** **b** **3** **a, b** **4** **c** **5** **b, d** **6** **a, c**

1 Viele neue Gebäude werden in Leipzig gebaut./In Leipzig werden viele neue Gebäude gebaut.

2 In der ganzen Stadt wird geplant, restauriert und renoviert.

3 Die Stadt wird erneuert und modernisiert.

4 Das Messekonzept wird umgestellt.

5 Ein neues Messegelände wird von der Messegesellschaft gebaut.

6 Neue Wege bei der Stadtsanierung werden von der Stadt versucht.

1 40 Jahre

2 eine Riesenbaustelle

3 Anfang 1996

4 Früher war das Angebot in der Innenstadt spärlich.

5 Fast ein halbes Jahrhundert oder länger.

6 Weil sie hinter einem „undurchdringbaren Vorhang“ arbeiteten; man konnte sie nicht besuchen oder ihnen schreiben.

5

Georg Rübling

„In Leipzig hat sich in erster Linie das äußere Stadtbild verändert; wir haben sehr viele **Baustellen**, Straßenbaustellen, Häuserbaustellen und sehr viele **Neubauten**. Das sind die positiven Dinge; die negativen Dinge in Leipzig sind die **Kriminalität**, auch die **Arbeitslosigkeit**, und was wir früher nicht kannten, die Stadtstreicher.“

Gesine Jüttner

„Ich wünsche mir für unsere Menschen nicht nur in der Stadt, im ganzen Land, daß sie ihr **Selbstbewußtsein** wiedererlangen, daß sie zurechtkommen mit all diesen Veränderungen in ihren privaten Bereichen, im Leben, im alltäglichen Leben, auf der **Arbeit**. Sie mußten ja ihr gesamtes Leben neu organisieren. Wir sind geprägt von neuen **Vorschriften**, **Gesetzen,** die über Nacht auf uns übertragen wurden, und das ist sehr schwer, besonders für die älteren Menschen.“

Kurt Hensch

„Und wir haben uns also praktisch umstellen müssen auf neue Lebensmittel, auf andere Lebensmittel, und wir haben auch diesen Trend mitbekommen, daß die Leute sich jetzt **bewußter ernähren** als früher, daß man also nicht mehr so **fettreiche Speisen** zu sich nimmt, nicht mehr so kalorienbewußt ist. Wir gehen mehr auf die **leichte Kost**.“

6

1 Das Materielle steht im Mittelpunkt.

2 Die Leistungsgesellschaft fordert einen enormen Einsatz von jedem, der Arbeit hat.

3 Der Individualismus, der Egoismus wächst.

4 Die normalen menschlichen Freiheiten sind gewährt.

5 Früher war eine Weltanschauung, die man lernen mußte*.

**It would be more usual to say* „Früher gab es eine Weltanschauung …“

7

1 Seit der Wende ist Wohnen in Ostdeutschland **teurer** geworden.

2 Die Unterschiede zwischen arm und reich waren früher nicht so **groß**.

3 Heute ißt man **kalorienbewußter** und nicht mehr so **fettreich** wie früher.

4 Beim Einkaufen hatte man früher **weniger** Auswahl, aber die Produkte waren relativ **billig**.

5 Vor der Wende gab es **weniger** Egoismus.

6 Frau Jüttner hofft, daß die Menschen wieder **selbstbewußter** werden.

Your summary will almost certainly look different from this one. Make sure that you check your word order, tenses and endings according to the WAVE system. WAVE, if you recall, stands for **W**ord order, **A**dverbs and adjectives, **V**erbs and **E**verything else.

Durch die Wende hat sich fast alles geändert

Vor der Wende gab es in der DDR wenig Kriminalität und keine Arbeitslosigkeit. Es gab keine Stadtstreicher und Obdachlosen, und die Unterschiede zwischen Arm und Reich waren geringer.

Heute werden viele neue Häuser/Wohnungen gebaut, aber das Wohnen ist viel teurer geworden.

Früher waren die Leute in der DDR mehr eine Gemeinschaft, heute gibt es mehr Individualismus und Egoismus. Aber in der DDR konnten die Leute nicht einfach in den Westen reisen, und es gab weniger Freiheiten.

Heute können die Leute überall hinreisen, aber das Materielle ist wichtiger geworden. Heute gibt es mehr Geschäfte und mehr Produkte als früher, und die Leute leben gesünder und essen kalorienbewußter.

Lerneinheit 5

Name: Harald Heidtmann

Alter: 36 Jahre

Familie: Frau Britta (34), Sohn Lars (6 Monate)

Heimatstadt: Hamburg

jetziger Wohnort: Stralsund

Beruf: Bauleiter

1 Herr Heidtmann ist mit seiner Familie nach Stralsund gekommen, weil **seine Firma** hier eine Zweigniederlassung gegründet hat.

2 1993 kamen **knapp 700** Leute neu nach Stralsund, und **3073** verließen die Stadt.

3 Die Stimmung ist **gedrückt,** weil die Arbeitslosigkeit **hoch** ist und **18,1%** beträgt.

4 Herrn Heidtmanns Frau, Britta Kromand, kann nicht arbeiten, weil sie **keinen Job als Krankenschwester** findet.

5 **Auf den Baustellen** in Stralsund herrscht ein rauhes Klima.

6 **Einige Ostdeutsche haben** einen richtigen Haß auf die Westdeutschen.

7 Er will **in Stralsund bleiben**.

3

1 Herr Heidtmann ist mit seiner Familie nach Stralsund gezogen.

2 Er hat die Bauleitung für eine Hamburger Firma übernommen.

3 Die Hamburger Firma hat eine Zweigniederlassung in der alten Hansestadt gegründet.

4 1993 sind 700 Wessis nach Stralsund gekommen, und 3073 Leute sind aus Stralsund weggegangen.

5 Frau Kromand hat in Hamburg als Krankenschwester gearbeitet.

6 Herr Heidtmann und seine Familie haben eine schöne Wohnung in Stralsund gefunden.

4

1 **Wie** alt ist Herr Heidtmann? 36 Jahre.

2 **Was** ist er von Beruf? Bauleiter.

3 **Woher** kommt er? Aus Hamburg.

4 **Warum** ist er nach Stralsund gegangen? Weil er dort einen Job bekommen hat.

5 Mit **wem** wohnt er in Stralsund? Mit seiner Familie.

6 **Wie viele** Neuzugänge aus dem Westen gab es 1993 in Stralsund? Knapp 700.

7 **Wo** hat die Hamburger Firma eine Zweigniederlassung gegründet? In Stralsund.

5

Model answers are provided in *Hörabschnitt 5*, and the written version is in the transcript booklet.

Here are the numbers of people who have moved from the east to the west of Germany in recent years.

	Jahr	Zahl der Abwanderungen
1	1989	380 000
2	1992	200 000
3	1994	160 000
4	Fazit: Seit der Wende	mehr als 1.500 000

1 Die Zahl der Abwanderungen ist deutlich zurückgegangen.

2 Man nennt sie Binnenwanderer.

3 Sie sind jung und fachlich ausgebildet.

4 Die nordöstlichen Regionen sind am stärksten betroffen.

5 Die Situation ist anders im Großraum Berlin. Dort ist der Zustrom in den Osten größer als umgekehrt. (Dort gehen mehr Leute in den Osten als umgekehrt.)

6 Die Situation ist anders, weil im Ostteil von Berlin die Mieten noch billiger sind und die Menschen problemlos pendeln können.

Person	Verb	Noun
Einwanderer	einwandern	Einwanderung
Auswanderer	auswandern	Auswanderung
Zuwanderer	zuwandern	Zuwanderung

Here are some examples:

1 Viele Ostdeutsche sind in den Westen abgewandert.

2 Mein Onkel ist in die Vereinigten Staaten eingewandert.

3 Warum sollte ich aus Deutschland auswandern? Ich wohne gerne hier.

4 Meine Großeltern sind nach London zugewandert.

die Abwanderung, **die** Arbeitslosigkeit, **die** Auswirkung, **die** Eigenschaft, **die** Freiheit, **das** Gelände, **das** Geschlecht, **die** Gesellschaft, **der** Kapitalismus, **die** Kriminalität, **der** Lehrling, **das** Viertel, **die** Zerstörung, **die** Zuständigkeit

Nach dem Ende von vierzig **Jahren** DDR haben sich die **Lebensbedingungen** für die **Ostdeutschen** radikal verändert. Mit den neuen **Freiheiten** kamen auch unbekannte **Probleme** wie Arbeitslosigkeit und steigende **Mieten**. Ein Ergebnis dieser **Veränderungen** war die Binnenwanderung von Hunderttausenden von **Deutschen**. Im Jahr 1989 verließen mehr als 380 000 **Menschen** die neuen **Bundesländer** auf der Suche nach **Arbeitsplätzen** und einer neuen Heimat im Westen. Bis 1996 sind insgesamt 1,5 **Millionen** Bürger und **Bürgerinnen** aus Ostdeutschland in den Westen abgewandert. Auf der anderen Seite sind etwa 500 000 Westdeutsche in die neuen **Bundesländer** gezogen, um dort zu leben und zu arbeiten.

Lerneinheit 6

1

1 d um 1160 – die Anfänge der Messe

2 b im Mittelalter – die Stadt der Warenmessen

3 f 1894 – Mustermesse

4 c in den 20er Jahren – die führende Messestadt der Welt

5 g 1947 – Neubeginn der Messe nach dem Krieg

6 a in den Jahren der DDR – Drehscheibe zwischen Ost und West

7 e nach der Wende – Konkurrenz für westdeutsche Messestädte

2

1 Die Messen entstanden aus kleinen Jahrmärkten.

2 Diese Messen fanden dreimal im Jahr statt – zu Ostern, im Herbst und an Neujahr.

3 Im Mittelalter wurden die Waren in den Häusern der Innenstadt gehandelt.

4 Auf den Messen konnte man alles kaufen, was man zum Leben brauchte, z.B. Stoffe, Töpfe, haltbare Lebensmittel.

5 Sie brachten nur noch Musterstücke von ihren Angeboten mit. Die Käufer konnten diese Muster begutachten/sehen, und die Waren dann direkt von der Fabrik bestellen.

3

1 f Bis 1914 wurden 20–25 Messepaläste gebaut.

2 d In den 20er Jahren war Leipzig die führende Messestadt der Welt.

3 a In den 30er Jahren war die Weltwirtschaftskrise.

4 **e** Während des Zweiten Weltkrieges wollte Churchill die Messe bombardieren.

5 **c** Nach dem Zweiten Weltkrieg waren 80% aller Messehallen zerstört.

6 **b** 1947 fand die erste Nachkriegsmesse statt.

---

1 Falsch. „*... das Interesse war damals auch recht groß schon.*"

2 Richtig.

3 Falsch. „*... da war die ganze Welt in Leipzig*".

4 Richtig.

5 Richtig.

6 Richtig.

---

1 Die Messe mußte sich auf bestimmte Fachbereiche spezialisieren.

2 Die große allgemeine Messe gibt es nicht mehr.

3 Das neue Messegelände wird außerhalb der Stadt gebaut.

4 Der Standort des neuen Messegeländes ist problematisch, weil die Leipziger weniger davon merken und weil der Handel und die Gastronomie nicht von der Messe profitieren.

5 Die Leipziger hoffen, daß der Name Leipzig wieder, oder noch mehr, in der ganzen Welt verbreitet wird.

---

3 Man konnte auf den Messen Lebensmittel, Stoffe und Töpfe kaufen, die auf Wagen transportiert wurden.

4 Nach 1894 brachten die Kaufleute nur noch Musterstücke der Waren mit, die von den Käufern begutachtet wurden.

5 Die Waren, die auf der Messe verkauft wurden, wurden überwiegend industriell hergestellt.

6 Die Kaufleute sahen das Muster an, das von den Händlern auf die Messe gebracht wurde.

7 Der Neubeginn der Leipziger Messe, der 1947 stattfand, war sehr schwierig.

8 Die Leipziger Messe hatte zu Zeiten der DDR viele Gäste aus dem Westen, der für DDR-Bürger relativ zu war.

9 Nach der Wende hat sich die Leipziger Messe auf kleine Fachmessen konzentriert, die das ganze Jahr über stattfinden.

7

2 Die Leipziger Messe ist die **älteste** Messe in Deutschland.

3 Im Mittelalter wurden die **meisten** Waren auf Wagen zur Messe transportiert.

4 Die Messepaläste waren die **größten** Ausstellungsgebäude der Welt.

5 In den 20er Jahren war Leipzig die **wichtigste** Messestadt der Welt.

6 Zu Zeiten der DDR war die Messe der **beste** Treffpunkt für Firmen aus Ost und West.

7 Die **stärkste** Konkurrenz für die Leipziger Messe sind die Messen in Hannover, Düsseldorf und Frankfurt.

8 In Leipzig hat man das **modernste** Messegelände der Welt gebaut.

9 Das moderne Messegelände kombiniert die **neueste** Technik mit **höchster*** Qualität.

**Did you get this ending right? With no article, the ending has to be* -r *because* mit *takes the dative and* Qualität *is feminine.*

8

1 Ich bin nicht sicher, daß das neue Messekonzept ein Erfolg wird.

2 Ich bin nicht davon überzeugt, daß es eine gute Idee ist, das neue Messegelände vor der Stadt zu bauen.

3 Ich kann mir nicht vorstellen, daß die neue Messe viele Gäste in die Stadt bringt.

4 Ich bezweifle, daß Leipzig von der neuen Messe profitiert.

5 Ich bin nicht davon überzeugt, daß Leipzig mit Frankfurt oder Hannover konkurrieren kann.

6 Ich bezweifle, daß der Erfolg der Messe weiter anhält.

7 Ich kann mir nicht vorstellen, daß alle Leipziger die neue Messe toll finden.

8 Ich bin nicht sicher, daß die neue Messe viele neue Arbeitsplätze schafft.

9

1 Falsch. Klaus Lange ist **fünfzig** Jahre alt.

2 Richtig.

3 Falsch. Der Betrieb hat früher einen Großteil **des DDR-Stahls** produziert.

4 Falsch. Nach der Wende **gingen** die Exporte nach Osteuropa **fast auf Null zurück**.

5 Richtig.

6 Richtig.

7 Falsch. Klaus Lange ist seit **drei** Jahren arbeitslos.

8 Falsch. Er glaubt **nicht**, daß er wieder einen Job als Stahlarbeiter finden wird.

---

1 **Mein** Name ist Klaus Lange.

2 Ich habe Stahlarbeiter gelernt und mehr als dreißig Jahre in **meinem** Beruf gearbeitet.

3 Aber nach der Wende haben **meine** Kollegen und ich **unsere** Jobs verloren, weil **unser** Betrieb nicht mehr konkurrenzfähig war.

4 Auf einmal hieß es: „**Euer** Betrieb ist zu alt."

5 Und dann kam noch dazu, daß **unsere** Exporte nach Osteuropa zurückgingen.

6 Seitdem bin ich arbeitslos. Ich habe viel mit **meiner** Frau und **meinen/unseren** Kindern darüber diskutiert, ob wir wegziehen sollten. Aber dann müßte sie **ihre** Arbeit bei der Post aufgeben. **Meine/Unsere** Kinder haben immer gesagt: „Das müßt ihr selbst entscheiden, was ihr mit **eurem** Leben noch anfangen wollt."

7 Aber ich möchte nicht aus **meiner** Heimat wegziehen, hier haben wir **unsere** Freunde und **unsere** sozialen Kontakte. Das würde ich sehr vermissen.

Lerneinheit 7

	Erdal Saltuklar	Helga Kürschner	Lars Wenzel
Arbeit		✗	
Ausländer			✗
Hauptstadt		✗	
Kultur	✗		✗
Studium	✗		
Verkehr	✗	✗	✗
Wohnen			✗

---

1 Die drei Universitäten heißen die Freie Universität, die Technische Universität und die Humboldt-Universität.

2 Westberliner fahren manchmal nach Ostberlin, um Musik zu hören oder ein Bier zu trinken.

3 Ostberliner kommen nach Westberlin zum Einkaufen.

4 Vor der Wende mußte Frau Kürschner mit dem Zug oder mit dem Flugzeug fahren.

5 Manchmal fährt sie mit dem Auto ins Grüne.

6 Nach Aussage von Lars Wenzel treffen sich französische Studenten, portugiesische Bauarbeiter und russische Auswanderer (= Emigranten) in Berlin.

7 Laut Lars Wenzel können Berliner in italienische Restaurants oder türkische Imbiß-Stuben essen gehen.

---

3 Was sich verändert hat? Die Straßen sind **verstopft**, man findet keinen Parkplatz mehr, alles ist **hektischer** geworden, und **teurer.** Mieten, Lebenshaltungskosten und auch die Kultur: Theaterkarten kann heute ja keiner mehr bezahlen, außer ein paar **reichen** Wessis ... Die **alten** Kiez-Bewohner werden allmählich aus den **zentralen** Stadtvierteln verdrängt. Berlin wird die Metropole der Erfolgreichen und Arrivierten! Allerdings bringt das **neue** Weltstadt-Flair auch Gutes mit sich: Nun treffen sich **französische** Studenten, **portugiesische** Bauarbeiter und **russische** Auswanderer in Berlin, die Leute gehen in **italienischen** Restaurants oder **türkischen** Imbiß-Stuben essen, kaufen auf den Polen-Märkten **billig** ein. Die Atmosphäre ist **bunter**, **internationaler** geworden.

---

4 Ich bin gebürtige **Berlinerin** und lebe mit meinem **Mann** und meinen **beiden** Kindern in Pankow im früheren **Osten** Berlins. Na, für uns hat sich einiges geändert mit der Wende, vor allem **beruflich**. Mein **Mann** war zunächst **arbeitslos**, hat sich dann aber **selbständig** gemacht und arbeitet heute als **Taxifahrer**. Ein paar Jahre lang war die Situation sehr **schwierig**, heute geht es uns finanziell **besser**. Ich bin jetzt auch seit einem halben Jahr **stellvertretende Zweigstellenleiterin bei einer Bank**.

5

	Steffi Breitenbach	Helga Kürschner	Erdal Saltuklar	Lars Wenzel
Alter	32	76	23	41
Beruf	Bankangestellte	Rentnerin	Student (Architektur)	Kameramann (arbeitslos)
Familie	verheiratet, 2 Kinder	Witwe, 1 Tochter, 2 Enkel	ledig, 4 Geschwister	geschieden (hat eine Freundin)
Wohnort	Pankow	Schöneberg	Kreuzberg	Prenzlauer Berg
West/Ost	Ost	West	West	Ost

6

2 Ihr Sohn geht jetzt aufs Gymnasium, das erst vor fünf Jahren gegründet wurde.

3 Frau Kürschner hat ihre Schwester, die im Osten der Stadt wohnte, zu DDR-Zeiten nicht zu sich nach Westberlin einladen können.

4 Erdal Saltuklar, der vier Geschwister hat, ist 23 Jahre alt.

5 Er studiert Architektur an der Freien Universität, die im Westen der Stadt liegt.

6 Lars Wenzel arbeitet manchmal für Kollegen, die sich selbständig gemacht haben.

7 Er wohnt in einem Haus, das alt und heruntergekommen ist, auf dem Prenzlauer Berg.

8 Er hat viele Freunde auf dem Prenzlauer Berg, die in der Alternativszene aktiv sind.

7

Model answers are provided in *Hörabschnitt 9*, and the written version is in the transcript booklet.

8

Your answer may well be different from this one, but have you got the verbs right?

Christa Wolf wurde am 18.1.1929 in Landsberg/Warthe geboren. Ihr Vater hieß Otto Ihlenfeld, er war Kaufmann von Beruf. Sie besuchte die Grundschule und die Oberschule in Landsberg. Im Jahre 1945 siedelte sie nach Mecklenburg um. 1949 machte sie in Bad Frankenhausen Abitur. Von 1949 bis 1953 studierte sie Germanistik in Jena und Leipzig. Sie heiratete Konrad Wolf im Jahre 1951. Von 1953–1962 arbeitete sie in verschiedenen Berufen in Berlin. Sie veröffentlichte 1963 den Roman *Der geteilte Himmel*. Das Buch war ein großer Erfolg. Seit 1962 ist sie freie Schriftstellerin, sie hat zwei Töchter und wohnt in Berlin.

Note that in the last sentence you can't use the past tense because the events described continue to the present day: in 1997 Christa Wolf is still alive, she is still a writer, has still got two daughters and still lives in Berlin.

Lerneinheit 8

1

1 Kästner is describing the Weidendammer Brücke and the surrounding area.

2 The gable of a theatre, the *Großes Schauspielhaus*.

3 Berlin is beautiful, especially at this bridge, and it is most beautiful at night.

4 Kästner describes how trains whistle, buses rattle and cars honk their horns.

5 People are pushing forward on the pavements, talking and laughing.

2

„Im Hintergrunde **erhob** sich der Bahnhof Friedrichstraße. ... Berlin **war** schön, hier besonders, an dieser Brücke, und abends am meisten! Die Autos **drängten** die Friedrichstraße hinauf. Die Lampen und Scheinwerfer **blitzten**, und auf den Fußsteigen **schoben** sich die Menschen vorwärts. Die Züge **pfiffen**, die Autobusse **ratterten**, die Autos **hupten**, die Menschen **redeten** und **lachten** ... ."

3

2 Berlin ist bei Sonnenschein schöner als bei Regen, aber am schönsten ist Berlin abends.

3 Das Große Schauspielhaus ist heller als der Admiralspalast, aber am hellsten ist die Komische Oper.

4 Karten für das Große Schauspielhaus sind teurer als Karten für den Admiralspalast, aber am teuersten sind Karten für die Komische Oper.

5 Der Verkehr auf der Weidendammer Brücke ist dichter als der Verkehr auf dem Schiffbauerdamm, aber am dichtesten ist der Verkehr auf der Friedrichstraße.

6 Die Autobusse sind lauter als die Autos, aber am lautesten sind die Züge.

7 Die Friedrichstraße ist breiter als der Schiffbauerdamm, aber am breitesten ist die Straße Unter den Linden.

Der Potsdamer Platz **mit** dem Brandenburger Tor ist die historische Mitte Berlins. Sie können ihn **mit** der U2 erreichen. Heute gehen täglich viele hundert Touristen **durch** das Tor. Die Straße des 17. Juni führt vom Brandenburger Tor Richtung Westen **zur** Siegessäule. Nach Osten geht man die ehemalige Prachtstraße „Unter den Linden" **entlang**, an der berühmten Humboldt-Universität vorbei, bis **zum** Neptunbrunnen **auf** dem Rathausplatz. Hier war das Zentrum des alten Ostberlin. **Gegenüber** dem Dom hat das DDR-Regime den „Palast der Republik" gebaut, und zwar genau an der Stelle, wo bis 1950 das alte Schloß stand.

Note that gegenüber *(opposite) can precede or follow the noun which it describes.*

---

1 d Multikulturelles Wochenendvergnügen: Picknick im Tierpark

2 b Streit um das alte Schloß

3 a Christo und Jeanne-Claude: Verhüllter Reichstag

4 c Polizeibewachung für jüdische Synagoge

The numbered paragraphs match up with the photographs and captions as follows.

1 Photo 2, caption b: Streit um das alte Schloß

2 Photo 1, caption d: Multikulturelles Wochenendvergnügen: Picknick im Tierpark

3 Photo 4, caption c: Polizeibewachung für jüdische Synagoge

4 Photo 3, caption a: Christo und Jeanne-Claude: Verhüllter Reichstag

9

Erdal Saltuklar

... Seit der **Wende** ist der Verkehr in Berlin wirklich eine **Katastrophe**. Zu viele **Autos** und zu wenig **Straßen**. Und das allgemeine **Klima** ist rauher geworden. Ich finde, die **Innenstadt** sollte so **schnell** wie möglich autofrei werden. Dann hat Berlin wirklich eine **Chance**, wieder eine **Weltstadt** zu werden, wie in den zwanziger **Jahren**.

Lars Wenzel

Also, was mich echt **nervt** sind die Preise. Alles wird **teurer**, Kino, Theater, aber auch **Essen** und **Trinken**. Und vor allem die Mieten **steigen**. Das kann sich bald keiner mehr **leisten**. Ich würde mir **wünschen**, daß Berlin nicht so **stark** auf Leistung und Erfolg **macht** und lieber mehr für die Kultur und die Alternativszene **macht**. Das **geht** hier alles langsam kaputt. Berlin **verliert** so seinen Charakter.

10

2 Die Hektik und der Lärm in Berlin frustrieren mich.

3 Das neue Regierungsviertel geht mir auf die Nerven.

4 Ich hoffe, daß Berlin wieder internationaler wird.

5 Ich wünsche mir, daß Berlin ein harmonisches Stadtbild erhält.

6 Die steigenden Mieten in Kreuzberg frustrieren mich.

7 Ich wünsche mir, daß die Kulturszene in Berlin mehr Geld bekommt.

8 Die vielen Touristen gehen mir auf die Nerven.

9 Ich hoffe, daß mehr Arbeitsplätze in Berlin geschaffen werden.

	Frustrationen	Hoffnungen
Steffi Breitenbach	Verkehr	mehr Arbeitsplätze, mehr Spielplätze
Helga Kürschner	Baustellen	harmonisches Stadtbild
Erdal Saltuklar	Verkehr, Klima	autofreie Innenstadt, Weltstadt
Lars Wenzel	Preise, Mieten	weniger Leistung und Erfolg, mehr Kultur und mehr Alternativszene

Lerneinheit 9

You could group the points made by the German politicians against the English summaries as follows.

1 Blüm, Fuchs
2 Thierse, Gysi, Kohl
3 Braun, Glotz

	pro	kontra
Blüm	☐	☒
Thierse	☒	☐
Gysi	☒	☐
Braun	☐	☒
Glotz	☐	☒
Kohl	☒	☐
Fuchs	☐	☒

Die Bundesregierung sollte nach Berlin umziehen,

2 weil der Umzug ein Zeichen für die Ostdeutschen wäre./denn der Umzug wäre ein Zeichen für die Ostdeutschen.
3 denn Berlin war die Hauptstadt der DDR./ weil Berlin die Hauptstadt der DDR war.
4 und/aber einige Ministerien sollten in Bonn bleiben.

Die Bundesregierung sollte in Bonn bleiben,

5 weil Bonn ein Symbol der Kontinuität ist./denn Bonn ist ein Symbol der Kontinuität.
6 denn Berlin ist schon groß und mächtig genug./weil Berlin schon groß und mächtig genug ist.
7 obwohl Berlin die frühere Hauptstadt ist.
8 und/aber der Bundespräsident sollte nach Berlin ziehen.

Model answers are provided in *Hörabschnitt 11*, and the written version is in the transcript booklet.

1 Meiner Meinung nach hat das Projekt das internationale Ansehen Berlins als Kunstmetropole gesteigert.
2 Ich denke, das Projekt hat den Fremdenverkehr gefördert.
3 Ich meine, für die Berliner hat der verhüllte Reichstag eine Ablenkung von den tagtäglichen Problemen dargestellt.
4 Ich finde, das Projekt war zu teuer.
5 Ich bin der Ansicht, das Gebäude war aufgrund seiner Funktion für eine solche Aktion nicht geeignet.
6 Meiner Meinung nach war dieses Projekt keine Kunst.

6 You may have noticed that the article uses words like *Pilgerstätte*, *Heiligenschein* and *ehrfürchtig* to create the image of the wrapped Reichstag as some kind of religious icon.

1 Was hat der Reichstag bekommen?
2 Wer kommt zum Reichstag?
3 Woher kommen die Trommler?
4 Wie finden die Nörgler die Aktion?
5 Wofür halten die Kritiker Christo und Jeanne-Claude?
6 Wann beginnt am Reichstag der Umbau für den Bundestag?

7 Model answers are provided in *Hörabschnitt 12*, and the written version is in the transcript booklet.

8

1 Falsch. Das Berliner Schloß war im Zweiten Weltkrieg zerstört worden.
2 Richtig.
3 Richtig.
4 Richtig.
5 Falsch. Viele ehemalige DDR-Bürger haben angenehme Erinnerungen an Feste im Palast der Republik.

9

	pro	kontra
1 Berlin ist kein Museum, sondern eine lebendige, moderne Stadt.	☐	☒
2 Wie kann ein modernes Gebäude sich in die historische Kulisse fügen?	☒	☐

3 Welche historische Epoche will man hier rekonstruieren? – Es hat in jedem Jahrhundert neue Entwicklungen in der Architektur gegeben. ❑ ☒

4 Eine Rekonstruktion des alten Schlosses wird viel zu teuer. ❑ ☒

5 Warum soll man nicht ein Stück DDR-Architektur als historisches Denkmal stehen lassen? ❑ ☒

6 Der Wiederaufbau des Schlosses ist eine absurde Idee. ❑ ☒

7 Es gibt keine Alternative, als das Schloß in seiner historischen Form wiederaufzubauen. ☒ ❑

Your answers obviously depend on which words you chose. The following examples would make sense in the context.

1 Berlin ist **doch/schließlich** kein Museum, sondern eine lebendige, moderne Stadt.

2 Wie kann ein modernes Gebäude sich **denn/überhaupt** in die historische Kulisse fügen?

3 Welche historische Epoche will man hier **überhaupt** rekonstruieren? – Es hat **schließlich** in jedem Jahrhundert neue Entwicklungen in der Architektur gegeben.

4 Eine Rekonstruktion des alten Schlosses wird **doch** viel zu teuer.

5 Warum soll man **denn** nicht ein Stück DDR-Architektur als historisches Denkmal stehen lassen?

6 Der Wiederaufbau des Schlosses ist eine **völlig** absurde Idee.

7 Es gibt **absolut/überhaupt** keine Alternative, als das Schloß in seiner historischen Form wiederaufzubauen.

Your summary might look something like this:

Man sollte das Stadtschloß wieder aufbauen, weil es ein wichtiges historisches Gebäude ist. Das Stadtschloß paßt zu den anderen historischen Gebäuden, die an der Straße Unter den Linden sind. Das Stadtschloß wird viele Touristen anziehen und es wird besser aussehen als der Palast der Republik. Man sollte es wieder aufbauen, da der Palast der Republik abgerissen werden muß, denn er ist asbestverseucht. Man sollte es wieder aufbauen, weil die Ruine aus politischen Gründen von der DDR-Regierung gesprengt wurde.

Man sollte das Stadtschloß nicht wieder aufbauen, weil es zu viel Geld kostet. Man kann das Geld besser für andere Projekte verwenden. Warum sollte man etwas wieder aufbauen, was schon über vierzig Jahre nicht mehr existiert? Die Rekonstruktion des Stadtschlosses ist kein Signal für die Zukunft Berlins, das Stadtschloß ist ein Symbol für die Vergangenheit. Man sollte besser ein modernes Gebäude errichten als Symbol für die Zukunft.

Lerneinheit 10

1

1 b Bettina ist am Anfang der Episode auf dem Bahnhof.

2 b Kai sucht Thomas.

3 c Kai hat seinen Vater zuletzt am Zeitungskiosk gesehen.

4 c Kai war in der letzten Zeit bei seiner Mutter in Tübingen.

5 c Thomas und Kai begleiten Bettina zur Straßenbahn.

6 b Bettina wohnt jetzt allein in Schleussig.

7 b Thomas lädt Bettina in die Moritzbastei ein.

8 a Bettina nimmt die Einladung an.

2

1 Kai sucht Thomas/seinen Vater.

2 Bettina schlägt Kai vor, Thomas/Kais Vater zusammen zu suchen.

3 Kai war mit ihm/seinem Vater wandern.

4 Bettina versucht, nicht soviel zu Hause zu arbeiten.

5 Thomas schlägt ihr vor, sich mal wiederzusehen.

6 Bettina ist nicht sicher, ob sie Thomas wiedersehen will, weil letztes Mal viele Sachen schiefgegangen sind.

7 Thomas hat einen Solo-Auftritt in der Moritzbastei.

3 Here is a model summary. Compare it with what you have written to see whether you could improve your version in any way.

Kai ruft nach seinem Vater auf dem Bahnhof. Er hat seinen Vater/Thomas verloren und sucht ihn. Dann trifft er Bettina und erinnert sich an sie. Sie suchen Thomas zusammen. Kai erzählt, daß er in Tübingen bei seiner Mutter und ihrem Freund war und auch mit seinem Vater wandern gegangen ist.

Schließlich finden die beiden/sie Thomas. Thomas möchte Bettina zum Kaffee einladen, aber sie hat keine Zeit. Dann begleiten Thomas und Kai Bettina zur Straßenbahn. Bettina erzählt, daß sie nicht mehr bei Sonja wohnt.

Thomas möchte Bettina gern wiedersehen, aber Bettina will zuerst nicht. Dann lädt Thomas sie zu seinem ersten Solo-Auftritt in der Moritzbastei ein und Bettina nimmt die Einladung an. Sie geht zusammen mit Kai in die Moritzbastei.

4 Obviously, your answers may be different from those given below. If you have used *weil* and *denn*, which you almost certainly will have done if you have given reasons for liking or disliking these characters, then check that you have got the word order right.

1 Ich mag Bettina, weil sie ehrlich ist und weil sie eine sympathische Person ist.

Ich mag Bettina nicht, weil sie nicht aktiv in ihrer Freundschaft zu Thomas ist.

2 Ich halte nichts von Sonja, weil sie eine Lügnerin ist.

Ich mag Sonja, weil sie ihre Gefühle zeigt.

3 Mir gefällt Thomas gut, weil er immer nett und freundlich ist.

Mir gefällt Thomas nicht, weil er so langweilig ist.

4 Ich denke, daß Kai ein netter Junge ist, denn er ist immer freundlich.

Ich denke, daß Kai kein netter Junge ist, weil er vorlaut (*cheeky, impertinent*) ist.

5 *Obviously, this answer is pure speculation! Here is just one suggestion:* Ich glaube, Bettina and Thomas verlieben sich ineinander (*to fall in love with each other*), und sie werden dann zusammen in eine Wohnung ziehen.

5

1 Ich bin der Ansicht/Ich bin der Meinung, daß Sonja sich sehr schlecht benommen hat.

2 Meiner Meinung/Ansicht nach ist Thomas ein bißchen in Bettina verliebt.

3 Ich bin der Meinung/Ich bin der Ansicht, daß Bettina zu nett zu Sonja war.

4 Ich meine/denke/glaube, die beiden Frauen paßten nicht zusammen.

5 Ich denke/meine/glaube, Thomas ist ein guter Vater.

6 Ich glaube/meine/denke, Kai mag Bettina sehr gern.

7 Meiner Ansicht/Meinung nach ist Thomas kein guter Sänger.

6

1 Wo haben sich Bettina, Kai und Thomas getroffen?

2 Wen hat Kai gesucht?

3 Wohin hat Thomas Bettina eingeladen?

4 Wann ist Bettina in ihre eigene Wohnung gezogen?

5 Welche Straßenbahn hat Bettina genommen?

6 Woher kennen sich Thomas und Bettina?

7 Wie gefällt Bettina die Arbeit an der Schule?

8 Seit wann arbeitet sie an dieser Schule?

9 Mit wem hat sie am Anfang in Leipzig zusammengewohnt?

10 Worüber freut sich Bettina?

7 Bettina hatte einen **lautstarken** Streit mit Sonja. Sie ist am nächsten Tag mit ihren **wenigen** Sachen aus Sonjas Wohnung ausgezogen. Sie wohnt jetzt in einer **geräumigen** Wohnung in Schleussig. Trotz der **hohen** Miete gefällt ihr ihre **neue** Wohnung sehr gut. Sie hat immer noch ihren **anstrengenden** Job an der Schule. In ihrer Freizeit hat sie jetzt ein **neues** Hobby gefunden – sie geht zum Aerobic in ein **modernes** Fitnesszentrum in Schleussig, in dem sie **nette** Leute kennengelernt hat. Sie freut sich, daß sie ihre **alten** Bekannten Kai und Thomas auf dem Bahnhof wiedertrifft. Sie hat keine Zeit, mit ihnen in dem **kleinen** Café in der Nähe einen Kaffee zu trinken. Aber als Thomas sie zu seinem Solo-Auftritt in die **bekannte** Moritzbastei einlädt, nimmt sie die Einladung an und genießt die **angenehme** Atmosphäre und die **gute** Musik dort.

1 **a** Bettina zieht aus Sonjas Wohnung aus, **weil** sie mit Sonja Streit hat.

b Bettina zieht aus Sonjas Wohnung aus, **denn** sie hat mit Sonja Streit.

2 **b** Ihre Wohnung in Schleussig gefällt Bettina, **aber** die Miete ist sehr hoch.

b Ihre Wohnung in Schleussig gefällt Bettina, **obwohl** die Miete sehr hoch ist.

3 Sie hat einen anstrengenden Job, **aber** die Arbeit als Lehrerin gefällt ihr.

4 **a** Sie geht gern ins Fitnesszentrum, **weil** sie dort viele Bekannte trifft.

b Sie geht gern ins Fitnesszentrum, **denn** sie trifft dort viele Bekannte.

5 Sie nimmt die Einladung in die Moritzbastei an, **obwohl** sie wenig Zeit hat.

Lerneinheit 11

1 Vor dem Krieg war der Potsdamer Platz ein beliebtes Viertel mit Cafés, Kneipen und Hotels.

2 Nach 1945 war der Potsdamer Platz Brachland.

3 Nach der Teilung lag der Potsdamer Platz am Rande von Westberlin.

4 Ein neues Stadtviertel mit Geschäften, Büros, Kneipen, Hotels, Kinos, Wohnungen und einem Regionalbahnhof wird jetzt gebaut.

5 Diese Großbaustelle verursacht Lärm, Staub und Verkehrsprobleme.

6 Fast alles wird mit Zügen transportiert.

	Verb	Infinitive	Perfect
2	lag	liegen	er hat gelegen
3	hatte verloren	verlieren	er hat verloren
4	hat sich geändert	sich ändern	er hat sich geändert
5	wird gebaut	bauen	sie hat gebaut
6	bedeutet	bedeuten	es hat bedeutet
7	kann	können	er hat gekonnt
8	ist	sein	sie ist gewesen
9	wird	werden	er ist geworden
10	sicherstellen	sicherstellen	sie hat sichergestellt
11	herrscht	herrschen	er hat geherrscht

You should have noticed that sich ändern *is a reflexive verb and* sicherstellen *is a separable verb.*

3 In den zwanziger Jahren **war** der Potsdamer Platz ein wichtiges Zentrum Berlins. Hier **gab** es viele Cafés, Bars und Restaurants, jeden Abend **kamen** Tausende von Menschen, um das Nachtleben zu genießen. Nach dem Krieg **lag** der Potsdamer Platz am Rande West-Berlins. Für fast vierzig Jahre **schlief** das ganze Stadtviertel eine Art Dornröschen-Schlaf. Nach der Wende **änderte** sich das bald: Sehr schnell **begannen** die Bauarbeiten, die große Transportprobleme **verursachten**. Man **versuchte**, die Probleme dadurch zu lösen, daß man das Material auf der Schiene **transportierte**. Aber natürlich **hatte** man noch andere Schwierigkeiten bei einem so großen Projekt, wie z.B. Lärm und Staub, über den sich die Leute, die in der Nähe **wohnten**, **beschwerten**.

4

1 Berlin wird zu einer großen Baustelle/ist zu einer großen Baustelle geworden.

2 Der Potsdamer Platz wurde im Krieg zerstört.

3 Am Potsdamer Platz wird ein neues Stadtviertel/ein neuer Stadtteil gebaut.

4 Die Baustelle wird von vielen Touristen besucht.

5 Die Bauarbeiten wurden nach der Wiedervereinigung begonnen. (*Note that this is the past tense of the passive, which is made up of the imperfect form of* werden *plus the past participle of the verb.*)

6 Das Material wird auf der Schiene transportiert.

7 Der Potsdamer Platz wird ein neues Zentrum für Berlin werden. (*This is the future tense of* werden.)

5 Model answers are provided in *Hörabschnitt 13*, and the written version is in the transcript booklet.

This letter will differ from yours, but make sure that you check your word order, prepositions and forms of the perfect tense!

Liebe Monika,
heute bin ich mit der U-Bahn zum Potsdamer Platz gefahren. An der U-Bahnstation Potsdamer Platz bin ich ausgestiegen. Links war die Großbaustelle. Dann bin ich zu Fuß in Richtung Brandenburger Tor gegangen und durch das Brandenburger Tor hindurchgegangen.

Ich bin danach Unter den Linden entlanggelaufen. Dann habe ich die Humboldt-Universität und die Neue Wache gesehen. Zum Schluß habe ich das Pergamonmuseum auf der Museumsinsel besichtigt. Ich war sehr müde und hatte Durst. Schließlich habe ich ein Café in der Nähe gefunden. Da habe ich zwei Kännchen Kaffee getrunken und zwei Stück Kuchen gegessen!

Bis bald,

____

You should note that in the 3rd sentence from the end you wouldn't use sein *and* haben *in the perfect tense. These two verbs are usually used in the imperfect.*

Did you realise that in the last sentence there is only one haben *for both* trinken *and* essen*? You can omit the second* haben *in a sentence like this if both verbs use* haben *and have the same subject. It makes your sentences sound more natural.*

1. Hast du **dir** schon die Ausstellung in der Nationalgalerie angesehen? **Sie** soll ganz toll sein.
2. Nein, ich interessiere **mich** nicht für moderne Kunst.
3. Schade, Angela und ich wollen **uns** morgen nachmittag dort treffen.
4. Was macht **ihr** denn anschließend? Ich würde **euch** gern zum Essen einladen. Habt **ihr** morgen abend Zeit?
5. Ja, ich denke schon. Aber ich muß erst noch Angela fragen. Ich glaube, **sie** wollte morgen abend ins Theater gehen. Ich werde **ihr** erzählen, daß du **uns** zum Essen einladen willst.
6. Okay. Kann ich **dich/euch** heute abend anrufen?
7. Ja, aber erst nach 10 Uhr. Wir gehen zu meinen Eltern. Wir haben **ihnen** versprochen, **sie** zu besuchen.
8. Gut, dann rufe ich **dich/euch** nach 10 Uhr an.

8 Model answers are provided in *Hörabschnitt 14*, and the written version is in the transcript booklet.